L'AMOUR EN 3 DIMENSIONS

RAYMOND VIGER

L'AMOUR EN 3 DIMENSIONS

ÉDITIONS T.N.T.

Éditeur: Les éditions T.N.T.
        C.P. 71
        Succursale Pointe-Aux-Trembles
        Montréal, Québec
        H1B 5K1

Maquette et infographie du livre:
Danielle Simard

Dessins de la couverture:
Victor Panin

Infographie de la page couverture:
Francis Ennis

Comité de lecture:
Danielle Simard
Diane Simard
Dominique Larochelle
Nicole Sophie Viau

Corrections:
Denise Deschêsnes

Impression:
Imprimerie Gagné

Pour les peintures de Victor Panin, elles ne peuvent être reproduites par quelque procédé que ce soit, sans avoir obtenu, au préalable, l'autorisation écrite de l'éditeur.

Dépôt légal: Bibliothèque Nationale du Québec 2001
Dépôt légal: Bibliothèque Nationale du Canada 2001

ISBN 2-9803768-6-8

REMERCIEMENTS

Comment pourrais-je faire pour remercier toutes les personnes qui m'ont aidé, supporté et inspiré pour écrire et publier ce livre sans en oublier quelques-unes au passage?

Ce livre est une partie de ma vie. La majorité des noms que vous rencontrerez dans ce livre sont véridiques ainsi que les anecdotes qui y sont mentionnés. Un premier remerciement à tous ceux avec qui j'ai fait un bout de chemin et qui m'ont permis de devenir ce que je suis aujourd'hui.

Un autre remerciement aux personnes qui ont lu et relu mes différentes maquettes de travail. Celles qui m'ont confronté dans ce que j'ai à dire, ce que je veux dire et comment je pourrais le dire. Merci à Danielle Simard, première lectrice de toutes mes ébauches. Merci à Nicole Sophie Viau, Diane Simard et Dominique Laroche.

Merci aux personnes qui m'ont montré à écrire avec les vibrations du coeur: ma mère Françoise Ponton, mes enfants Annie et Patrick Viger.

Merci aux auteurs qui ont su m'enflammer: Antoine de St-Exupéry, Richard Bach ainsi qu'Anne et Daniel Meurois-Givaudan.

Merci aux jeunes qui fréquentent le Café-Graffiti et au lecteurs du Journal de la Rue. C'est à votre contact que j'ai pu rester en contact avec ce que je suis, que je peux continuer de l'exprimer et de vivre ma marginalité.

Merci à vous chers lecteurs, car un écrivain sans lecteur est comme un stylo sans encre. Tout moyen d'expression, tout art crée le besoin d'être lu ou vu. Sans vous, ce livre n'aurait pas su trouver sa place.

Introduction

Aujourd'hui est une journée fort spéciale. Je vous offre un livre ou j'ai mis près de 10 ans à écrire. À la suite d'une période difficile, très difficile, j'ai eu à assumer toutes les émotions que j'avais mises de côté. Ce que j'ai refoulé, jour après jour, est venu me chercher et a explosé.

Après deux tentatives de suicide, je me retrouve en thérapie. Ce que je refuse de vivre reviendra, tôt ou tard, me hanter et me saboter. Je dois commencer par accepter de faire de l'espace à ce que je vis et ressens, et ce, à chaque jour de l'année.

Pour mieux me découvrir dans cette nouvelle vision de la vie, je commence par m'impliquer au Journal de la Rue, une façon de me confronter à ce qui m'entoure. Même si plusieurs pensent régulièrement que je suis le fondateur du Journal de la Rue, j'y suis entré, humblement, comme un membre utilisateur et un bénévole. Marie-Claire Beaucage est la fondatrice du Journal de la Rue. Même si j'ai donné au Journal de la Rue ma couleur et mon orientation avec les années, c'est à elle que revient tout le crédit de cette idée et le courage de lui avoir donné vie.

J'ai commencé comme un observateur. Je me suis contenté de contempler mon environnement, la société qui bourdonnait autour de moi. Ensuite j'ai intensifié mon implication; je suis entré en contact avec cet environnement. Mon implication, mon vécu, mais surtout ma sensibilité m'ont permis de pouvoir entrer en relation avec ce nouvel univers. J'ai aidé des gens à écrire pour le Journal de la Rue, j'en ai écouté d'autres et je leur ai exprimé ce que je pouvais vivre en les écoutant. Certains appelleront cela de la thérapie, d'autres une relation de grands frères ou d'aidant naturel. Peu importe. Le résultat a été magique.

Je vous livre aujourd'hui un cheminement, le mien. Dix années à voir la vie et la société sous un nouveau jour, à me remettre en question. Ces remises en question ne sont possibles que si je suis confronté dans mon mode de vie, dans mes valeurs et mes croyances. Une voix intérieure m'a aidé à faire ce bout de chemin.

Par peur de me faire interner ou de ne pas être pris au sérieux, dans ce livre, j'ai donné un corps et une personnalité à cette voix intérieure. Je vous présente, Tom. J'aurais pu dire que c'est un fait vécu et une réalité. J'ai eu peur que vous ne puissiez y croire.

Tom a été mon mentor, l'aide dont j'ai eu besoin à une période importante de ma vie. Aujourd'hui, j'ai l'impression d'être le Tom d'une multitude de jeunes que j'aide et que j'accompagne au Café-Graffiti. Je tente de leur faire cadeau de ce que Tom m'a donné. J'essaie d'être leur modèle et leur instructeur comme Tom l'a été pour moi.

Ce livre est une synthèse de ce que j'ai vécu. C'est avec ce vécu que j'ai créé des projets qui auront su toucher et rejoindre des jeunes marginaux. J'ai aussi travaillé auprès de communautés Inuit dans le Grand Nord. Cette expérience m'a permis de réaliser que notre vécu est univer-

selle et peut nous aider à établir une realtion saine et positive.

J'ai pris dix ans avant de vous l'offrir. J'ai eu besoin de le
lire et le relire souvent avant de faire le grand saut et de
me sentir prêt à cette étape importante. Aujourd'hui, je me
sens prêt à écrire de nouvelles choses. Je peux tourner la
page sur ce livre et vous l'offrir pendant que je prépare de
nouveaux textes.

Je vous offre ce livre, sans attente et sans prétention. J'espère qu'il vous apportera autant de bonheur qu'il aura su
m'en apporter en l'écrivant. Ce n'est ni la lecture, ni l'écriture d'un livre qui est fondamentalement importante. C'est
ce que nous vivons et ce qu'il nous fait vivre à tous les
jours qui l'est.

Chapitre 1

Certains appellent cela renaître à la vie. Dans la Bible, on parle de notre deuxième naissance. D'autres diront tout simplement recommencer à zéro. Peu importe comment on appelle la chose, il faut cependant que je vous définisse pourquoi j'ai baptisé cette période de ma vie: la "Renaissance".

La raison en est fort simple. Jeune, j'ai lu une encyclopédie sur le Moyen Âge. À regarder toutes ces batailles telles les Croisades, j'ai supposé que cette période était burlesque et que l'humanité s'est perdue dans de vains combats. Vînt ensuite la période de la "Renaissance". J'y ai découvert une plus grande ouverture de l'esprit humain sur les arts et sur les différents moyens de les exprimer.

Je me suis identifié à ces périodes de l'humanité. Je me voyais comme un chevalier sans peur, ni reproche, à la défense de la veuve et de l'orphelin. Ce cycle de ma vie a été ma période moyenâgeuse.

Lorsque, comme Don Quichotte, je me suis attaqué à mes monstrueux moulins, je fus violemment désarçonné et désarmé. En tombant de mon cheval (pour ne pas dire de mon âne), j'ai perdu le contrôle de ma vie. J'ai eu un terrible choix à faire: mourir ou renaître? Voilà MA question! (Traduction-maison de William Shakespeare: "To be or not to be").

À cette question, un peu embêtante il faut l'avouer, j'ai tenté de résoudre l'énigme en utilisant la première partie: mourir. Voyant mon incapacité à bien réussir cette étape, j'ai coulé deux fois les tests d'entrée pour l'autre monde, il ne me reste plus qu'un seul choix possible: "Renaître". À la sortie de ma période du Moyen Âge, j'ai passé par cette transition: la "Renaissance".

Je n'apprécie pas revenir sur mon passé. Habituellement, je le laisse remonter vers moi, de lui-même. Je dois cependant faire un petit rappel historique. Je voudrais revenir à mon Don Quichotte et ses monstrueux moulins.

Pour certains, ces monstrueux moulins s'appellent des minotaures, tandis que pour d'autres, ce sont des fantômes ou des dragons. Chacun d'entre-nous a un nom différent pour désigner ce monstre. C'est une question de culture, d'affinités. Je vous laisse le soin de choisir le nom qui vous convient le mieux.

Quand j'entends les gens se quereller sur des termes comme Dieu ou Bouddha, ou... Ce n'est pas le nom qui est important, c'est le sens qu'il a pour vous qui l'est. N'en faisons pas une guerre sainte, je sors à peine du Moyen-Âge! En faisant abstraction des rituels qui sont propres à chacune des religions, l'essence même de celles-ci ne la rejoint-elle pas?

Revenons donc à cette belle période de la "Renaissance". Chaque personne peut vivre cette période de profond changement de façons différentes. En ce qui me concerne, j'ai dû passer par une période de transition. Une période de conflits, de profonds malaises, de déchirements entre ce que j'avais été et ce que j'allais devenir. Cette étape a été importante pour me préparer à mon accouchement, à ma nouvelle vie.

Pendant cette période de gestation, qui aura duré plus de deux mois, je n'ai pas réussi à me nourrir adéquatement. La souffrance me dévorait les entrailles, je ne pouvais rien ingurgiter. Cela était peut-être volontaire de la part du Grand Patron. Une façon directe pour me faire perdre un peu de poids. À noter ici que l'expression Grand Patron (vous l'avez sûrement deviné) est synonyme de Dieu, Bouddha, du gars d'en haut ou tout autre nom que vous lui donnez.

C'est vrai que d'accoucher d'un bébé de six pieds deux pouces et 260 livres doit être souffrant. Ma souffrance m'a fait perdre un "petit" 50 livres.

La souffrance a été envahissante et m'a suivie partout, 24 heures sur 24. Je ne dormais que neuf heures par semaine pendant cette période. Ici, plusieurs confondront neuf heures par semaine avec neuf heures par nuit. Ce n'est pas important, ce n'est qu'un petit détail technique. Le corps devient tendu, irritable, telle une bombe qui ne demande qu'à exploser à tout instant.

Après avoir perdu tous mes centres d'intérêts et avoir fait peur à tous mes amis, je me retrouve au volant de ma camionnette, à la brunante, sur une de nos belles routes cahoteuses du Québec. Malgré toute la souffrance qui est venue me hanter, un sentiment de fierté et de satisfaction m'habite. Je pressens une libération prochaine, que ces souffrances n'auront pas été vaines.

Je me dirige vers la maison lorsque, tout à coup, les premières douleurs débutent. Je tente de continuer mon chemin, de faire comme si de rien n'était. J'ai beau siffler, chanter, rien à faire! Lorsque les contractions sont aux deux minutes, vous comprenez bien qu'il est maintenant inutile de résister.

Ma tête comprend que je doive me libérer de toute cette souffrance, mais la peur de l'inconnu tend à me garder dans le sentier battu, même lorsque cette peur est souffrante. Encore un paradoxe navrant de notre vie d'humain!

Laissé à moi-même, je stationne la camionnette en bordure de la route, cette partie de terre battue recouverte de roche que l'on appelle "voie d'accotement"; cet espace situé entre une route qui me ramène à ma routine et un ravin qui m'entraîne directement au fond du gouffre. C'est probablement l'endroit le plus logique pour ce genre d'accouchement. Un instant dans ma vie où j'ai le choix. Un choix des plus importants. Continuer sur une route et faire mon chemin comme si de rien n'était, me laisser crouler dans l'abîme ou finalement, redonner un sens, une nouvelle direction à ma vie.

Je suis un introverti. Pendant 34 ans, j'ai été incapable d'exprimer la souffrance qui me tenaillait. Une crise, suivie d'un désespoir total, m'ont amené à perdre le contrôle de ma vie. J'ai tenté d'effacer les traces de mon passage sur cette planète.

Au plus profond de mon gouffre, de ce tunnel sans fin, un peu par hasard, j'ai réussi à entrevoir une main qui m'a été tendue, celle de René Sirois, toujours prêt à m'aider et à m'accueillir dans tout ce que je vivais. Je n'avais plus rien à perdre. Je me suis donné une dernière chance: quinze jours de thérapie intensive pour m'aider à sortir de ma crise.

À peine deux mois et demie après ma crise, je me retrouve sur cette voie d'accotement. Je me prépare à libérer de mes entraves et de tous ces boulets qui n'auront servi qu'à emmurer l'enfant en moi. Ce petit enfant a tendance à vouloir sortir tout seul. C'est pourquoi j'ai dû le séquestrer à l'intérieur de moi, l'entourer de murs pour l'empêcher de sortir et de s'exprimer. Les années ont passé, puis la communication s'est rompue avec cette partie intime de mon être. J'ai perdu confiance en ce que j'étais. J'ai perdu le sens de ma vie.

Les pleurs et les souffrances achèvent, j'abandonne les boulets qui m'ont si longtemps empêché d'avancer. Pendant un court instant, arrive enfin un peu de soleil. C'est comme si finalement, je pouvais toucher pour la première fois à ce petit enfant que j'avais caché en moi. J'affiche le plus beau sourire que j'ai pour l'occasion. Malgré toutes les difficultés qui m'auront permis d'en arriver là, je me découvre un sourire de soulagement. Je ressens une satisfaction une délivrance. Je réalise enfin qu'il n'y a pas que de la souffrance dans le fond de mes tripes, il existe quelque chose de différent, quelque chose qui est le contraire de la souffrance.

J'accueille ce petit enfant, je le serre dans mes bras. Des pleurs de joie et de bonheur inondent mon visage. Je tiens mon soleil intérieur dans mes bras. Enfin libre! L'expression de ma joie et de mon bonheur. L'expression de ma liberté, l'expression de mon sourire perdu enfin retrouvé, juste là au creux de mes bras!

Encore une fois, j'ai dû mal interpréter ce qui m'a été dit. Quand on me parlait de renaître à la vie, de renaissance et de toutes ces choses-là, je croyais que je serais foudroyé et aveuglé par une lumière céleste extérieure à moi, un peu comme St-Paul sur le chemin de Damas, tombant de son cheval (il a fait comme Don Quichotte).

Je croyais perdre mon armure de chevalier sans peur et sans reproche, sauveur de la veuve et de l'orphelin. Je croyais changer cette armure pour des cheveux longs et plus grisonnants, des vêtements du type Renaissance ou Nouvel Âge.

Rien de tout cela n'est arrivé. Je suis assis dans ma camionnette, sur la "voie d'accotement" de cette autoroute, entre cette route qui ne va nulle part et ce précipice.

C'est comme ça que ma nouvelle vie commence: sur le bord de l'autoroute, avec l'impression d'avoir un nouveau-né dans les bras. Telle une chenille qui vient de briser son cocon, j'ai à redécouvrir la vie et ses splendeurs. J'ai vraiment cru, pendant un instant, que je perdais la boule.

Heureusement que j'ai déjà lu un peu sur le sujet. St-Exupéry a fait la rencontre du Petit Prince. Richard Bach, quant à lui, rencontre un messie récalcitrant. Pourquoi, moi, je ne me permettrais pas de retrouver cet enfant que j'ai refoulé si longtemps en moi?

Après un tel accouchement, rien de mieux qu'un baptême pour vous remettre de vos émotions. Il faut bien que je lui trouve un nom à ce petit.

Je me rappelle un exercice de méditation que j'ai fait avec Jean-Maurice. J'ai toujours eu tendance à ne pas réussir ces exercices, soit à cause d'une trop grande fatigue accumulée, soit par peur d'aller au bout dans ces nouvelles expériences. En général, pendant tout exercice de relaxation, de méditation ou d'hypnose, je suis toujours le premier à ronfler. Je dors les poings fermés, comme un gros bébé.

Pendant un séminaire avec Jean-Maurice, je tente cette expérience pour la centième fois. Le but de cette méditation est de visualiser et de rentrer en contact avec son guide intérieur. J'ai dû vexer un peu Jean-Maurice. Lors de cette séance, j'ai vraiment bien dormi.

Le lendemain, nous reprenons l'exercice. À ma grande stupéfaction, cette journée fut mémorable. Pour la première fois (et la seule), j'ai réussi à sentir autre chose qu'un profond sommeil.

Je suis les instructions de Jean-Maurice. Je vois de magnifiques paysages qui se succèdent à différentes vitesses devant moi. J'ai l'impression d'être un oiseau contournant diverses parties du globe. Jean-Maurice me fait chercher un temple, une sorte de temple sacré et où se cacherait mon guide intérieur.

Mon guide doit être un sacré farceur, habile dans le camouflage. J'ai fait le tour du globe plusieurs fois des paysages, encore des paysages aucun temple en vue, encore moins un guide!

J'ai de la difficulté à accepter que dans mon intérieur, mon guide puisse se cacher dans un temple. Des montagnes, des nuages, un ciel bleu, un soleil, des forêts et des prairies, ça va. Un temple, ça ne va pas. Pour moi, un temple c'est trop religieux ou dogmatique, trop formel, trop déconnecté de la vie et de sa simplicité.

Un temple, c'est une construction humaine, une forme de pollution et d'irritant pour la nature environnante, dans ces paysages d'une beauté infinie. On est maître de sa destinée après tout et je suis maître de mon intérieur. Pas question de polluer mon intérieur avec un temple.

Je continue à voguer, tel un navire, d'un paysage à l'autre. Je me sens libre libre dans la découverte de ces paysages libre de choisir et de ressentir une sensation d'euphorie extrême.

Tout à coup, la voix de Jean-Maurice reprend. À ce stade, je suis censé avoir trouvé mon temple, avoir pénétré à l'intérieur et avoir rencontré mon guide. Ne lui dites pas, mais je suis un rebelle-délinquant et je suis encore accroché à mes nuages.

Jean-Maurice me suggère de demander à mon guide quel était son nom? J'ai soudainement une drôle de sensation. Au-dessus de ma tête, des nuages s'étirent trois lettres commencent à se former dans mon ciel!

Trois lettres se sont maintenant dessinées dans le ciel. Je peux les lire clairement: TOM. Les trois lettres, après un instant d'hésitation, se retournent sur elles-mêmes et on peut lire: MOT. Elles reprennent leur position initiale pour revenir encore une fois à la dernière.

Je suppose que ce guide que je cherche s'appelle Tom. Il se trouve peut-être parmi les mots que j'écris, caché dans cette splendide nature. C'est sa façon à lui de me parler, de me rencontrer.

Je n'ai pas trouvé ce temple tant recherché. Peut-être que tous ces paysages, cette nature qui m'entoure, font partie de mon temple. Je n'ai pas réussi à rencontrer mon guide. Est-il omniprésent à tout cela? Peut-être que j'ai de la difficulté à l'imaginer extérieur à moi-même. Beaucoup de peut-être. Dans ce genre d'expérience, je préfère ne pas chercher à comprendre, je suis trop bien, là où je suis, pour en prendre le risque. Je me contente de vivre pleinement ma vie et de la sentir couler dans mes veines.

Après ce bref instant de réflexion, vous l'aurez deviné, j'ai décidé de baptiser du prénom de Tom, ce petit enfant qui sommeille en moi.

Revenir à la vie avec une nouvelle identité à expérimenter, je suis prêt à repartir à neuf. Malgré tout, je conserve un vague souvenir de ma vie antérieure. J'ai passé au travers avec une autre identité, inconscient de ce que j'étais réellement. Une étrange sensation voit le jour dans la transition vers cette nouvelle vie. Le besoin de me redécouvrir, de me redéfinir et le besoin d'apprendre à me connaître.

Bien que je n'aie pas écouté cette voix intérieure depuis fort longtemps, j'ai maintenant l'impression que Tom et moi ne faisons plus qu'un. Est-il en moi, ou suis-je en lui? Peu importe, la sensation demeure la même.

De retour à la maison, je vois ma guitare adossée à un mur de la chambre. J'en ai déjà joué, mais il ne me reste plus que le souvenir de quelques refrains.

De temps à autre, je sors cette guitare. Je rejoue ces quelques refrains, toujours les mêmes. Ensuite, je glisse la guitare dans son étui et l'abandonne pour le reste de l'année. Je suis gêné de toujours jouer les mêmes refrains.

Je sors l'instrument de son étui. Je m'installe bien à l'aise et je me prépare à entendre quelque chose de nouveau. Je ferme les yeux et je laisse Tom, cet enfant qui m'habite, s'exprimer en lui prêtant mes mains.

Un peu gêné au début, un peu malhabile, je commence à gratter quelques notes. De nouveaux rythmes, une nouvelle musique. Je me laisse bercer par ces mélodies que je n'ai jamais entendues.

Habituellement, je range ma guitare après cinq ou dix minutes. Cela fait peut-être deux ou trois heures que Tom joue. Il joue pour lui, sans se préoccuper de ce que les voisins peuvent penser de sa musique. Il ne se casse pas la tête à savoir s'il se trompe ou non. Il improvise sans cesse.

Je n'ai jamais réussi à improviser. Par peur de faire rire de moi, par peur de ne pas être intéressant, par peur qu'une improvisation m'amène dans un cul-de-sac...

Tom réussit à me faire découvrir un côté de moi que j'avais oublié. Quand je m'exprime et que je dépasse mes peurs, je peux créer quelque chose.

Je me sens en sécurité en reprenant contact avec cette partie cachée de moi. J'ai l'impression que je ne pourrai, ni ne voudrai plus rien me cacher.

Cette nouvelle présence de Tom me fait voir le monde avec un regard tout neuf. Je me sens prêt à foncer vers de nouveaux horizons, à me libérer de mes complexes et de mes frustrations. Je suis prêt à risquer de dépasser ces peurs qui m'ont empêché de vivre pleinement ma liberté.

Malgré toute cette euphorie, je dois respecter les engagements que j'ai pris. J'ai promis d'aller porter un paquet sur la rue Cherrier, près de St-Denis. Cette promesse, c'est à moi que je l'ai faite. Ce paquet, c'est ma demande d'inscription pour suivre la formation de thérapeute.

Mes quinze jours de thérapie intensive pour désamorcer ma crise, ont été suivis par une autre thérapie afin d'éviter de toujours recommencer le même scénario.

Maintenant, j'ai besoin d'aller un peu plus loin pour me connaître un peu plus. Pour vraiment éluder ce qui me fait entrer en crise, cette tendance à accumuler frustrations et souffrances, quoi de mieux qu'un cours de thérapeute pour aller au bout de soi-même?

Ces formulaires et le curriculum vitae qui l'accompagne sont le résumé de ma vie, ce que je me souviens d'elle, ainsi que tout ce qu'il m'en reste. Tout dort encore sur mon bureau. Je me suis promis que demain matin, sans faute, j'irais les porter. Une dernière nuit de sommeil me sépare donc de ce rendez-vous.

CHAPITRE 2

Après un lever et des préparatifs rapides, je saute dans ma camionnette. Je file vers la rue Cherrier. Le stationnement dans ce secteur de la ville est, pour moi, une véritable corvée. À chaque espace disponible, je peux lire une enseigne "Permis de résidents" ou "Zone réservée aux autobus". Quand il n'y a pas d'écriteau, une borne-fontaine me rappelle poliment que je suis un indésirable.

Après avoir fait trois fois le tour des mêmes rues en vain, je décide de tenter une nouvelle expérience et d'essayer d'écouter une voix intérieure, celle de Tom.

- Tu sais, à l'ouest du Carré St-Louis, c'est moins achalandé, le stationnement sera plus facile.

Un combat intérieur s'amorce. Une autre facette de moi veut prendre le contrôle, résister et dire:

- Mais cela représente une bonne marche à faire!

Tom ne peut s'empêcher de rétorquer.

- Avec toute l'énergie que tu dépenses à t'entêter pour stationner ta camionnette devant l'entrée, tu pourrais transférer cette même énergie dans la marche. Si j'ai bien calculé, cela fait déjà dix minutes que tu tournes en rond et tu n'as rien trouvé encore. Ça fait belle lurette que ton inscription serait rendue. De toute façon, es-tu pressé?

J'imagine un sourire espiègle accompagner cette remarque. Ma partie rationnelle, cette autre voix intérieure, est tiraillée par ces commentaires. Est-ce que je commence à faire confiance à cette nouvelle partie de moi ou bien est-ce que je l'étouffe et la renvoie d'où elle vient?

Après quelques hésitations, je me retrouve à l'ouest du Carré St-Louis. Le stationnement est effectivement beaucoup plus facile. Je dois maintenant remonter jusqu'à la rue du Parc Lafontaine, à pied! C'est un petit voyage d'un parc à l'autre, entre deux mondes qui cohabitent dans la même ville avec toutes leurs différences. Pour ce faire, je dois traverser le fameux Carré St-Louis.

J'ai déjà fait le tour du Carré St-Louis, en camionnette. Possiblement trop affairé à regarder où j'allais ou à me chercher un stationnement, je n'ai jamais remarqué la présence de ce parc. Trente-quatre ans dans la même ville et je n'ai pas pris le temps de le visiter!

J'ai mis plus de trente minutes à le traverser. Je découvre les côtés cachés de ce lieu pittoresque. J'y rencontre certaines personnes qui y habitent de temps à autre. Je pense que du haut de ma camionnette, il aurait été impossible de faire tant de découvertes en si peu de temps. Lorsque vous vous sentirez assez jeune pour le faire, prenez le temps de vous arrêter quelques instants dans ses petits coins de verdure.

Arrivé à destination, je remets mes précieux documents. Je croyais pouvoir repartir aussitôt. La secrétaire me demande d'attendre encore quelques instants.

Elle s'absente de son bureau avec les formulaires d'inscription que je viens de lui remettre. Quelques instants plus tard, elle revient, suivie d'un drôle de personnage. Elle me le présente.

- Voici Tom, il se chargera de la deuxième étape avant l'inscription.

Un peu surpris par son nom et sa physionomie, je tends la main à cet homme.

- Je ne savais pas que je passerais déjà une entrevue.

Avec un sourire espiègle, il m'explique la procédure.

- Il n'est pas question d'une entrevue. Je vais t'accompagner pendant un certain temps.

- Vous allez m'accompagner?

- Oui, question de découvrir quel genre de personnalité tu as, ce que tu fais, comment tu le fais.

- Je ne m'attendais pas à cela.

- La vie est remplie d'imprévus.

- Et j'en ai pour combien de temps avec vous?

- Aucune idée, ça dépend de toi et des événements. Je te propose de me tutoyer. Ce sera plus facile d'établir la relation entre nous.

Mon visage grimace, puis se contorsionne d'incompréhension. Je regarde la secrétaire et lui demande timidement.

- À quelle heure voulez-vous que je vous le ramène?

Sans même vouloir négocier ou tenter d'avoir un peu de compassion pour moi, elle me regarde froidement dans les yeux.

- C'est Tom qui va décider de combien de temps il aura besoin avec vous. De toute façon, vous n'aurez pas à le ramener, c'est lui qui partira quand il le jugera opportun.

Encore sous l'effet du choc, je quitte le bureau, suivi de ce parfait inconnu. Je n'ai qu'à faire le chemin en sens inverse pour retrouver la camionnette. C'est du moins ce que je suppose pour l'instant. Tom a encore des surprises pour moi.

Après avoir traversé la rue St-Denis, Tom s'arrête brusquement et me regarde d'un air songeur.

- Quand tu es arrivé, as-tu passé par ici?

- Oui.

- Tu sais, revenir sur nos pas, exactement les mêmes, ça me semble une perte de temps. Tu sais à l'avance ce que tu vas découvrir. Une façon de se sécuriser dans une routine, quoi! Quand on sait d'avance ce qu'il y a à voir, ce n'est plus une découverte. Moi, j'aime le changement, j'aime l'inconnu. C'est en sortant de la routine que je pourrai mieux apprendre à te connaître. Je n'ai pas le goût que ton retour soit conforme à ton aller. Je suggère que nous remontions par St-Denis, mais cette fois-ci, en reprenant par d'autres chemins.

J'ai appris que le chemin le plus court entre deux points est la ligne droite. Je n'ai jamais imaginé que je pouvais vivre autrement que par cette ligne droite. Par souci d'économie de temps, par peur de sortir des sentiers battus et pour prouver ma capacité de toujours être le plus rapide, la performance passe par le chemin le plus court. Peu importe mes justifications, nous voilà déjà partis, direction nord, à l'opposé de ma camionnette!

J'ai dû descendre cette rue au moins mille fois. Comment pourrais-je prendre le temps d'apprécier tout ce qui m'entoure, quand je suis si affairé à être le plus rapide en ville, que je dois éviter toutes ces autos qui se stationnent en double, que je cherche des noms de rues et des adresses et qu'à chaque feu de circulation je doive me frayer un chemin parmi les piétons pour être le premier reparti?

Avec Tom, je prends le temps de redécouvrir ce monde que je croyais déjà connaître sur le bout des doigts. J'aime lire et j'aime les livres. J'ai découvert près d'une dizaine de librairies de toutes les tailles, de la très spécialisée à la plus générale. J'y fais des trouvailles que je ne pouvais même pas imaginer.

Je prends le temps de les visiter, une à une. Je regarde les livres, sans chercher un titre en particulier, juste pour le plaisir, celui d'être là, et pour apprécier l'instant présent.

Si vous avez la chance de refaire le même trajet que nous avons fait, je suis sûr que votre regard s'arrêtera sur autre chose, selon vos affinités et selon vos besoins. Il s'agit tout simplement d'être à l'écoute de ses besoins et de son intuition, puis de les exprimer.

Tom et moi avons mis plusieurs heures à remonter la rue St-Denis. Notre dernière visite dans une librairie nous mène à la hauteur de la rue Rachel. Arrivé à l'intersection, Tom redresse la tête, un peu comme un chien de chasse flairant une nouvelle piste.

Il se retourne vers l'ouest et son regard s'arrête vers une montagne droit devant.

- As-tu remarqué cette montagne en plein milieu de la ville?

- Oui, c'est le Mont-Royal.

- Prends le temps de contempler ce qui se trouve devant nous.

- Ce n'est qu'une montagne entourée des gratte-ciel du centre-ville.

- C'est fascinant, un peu comme si l'on voulait l'encercler pour l'empêcher de se sauver. C'est votre manie de tout vouloir étouffer, de tout contrôler. Comment pouvez-vous accepter d'exprimer vos émotions, si vous avez peur de voir bouger cette montagne?

- C'est curieux Tom, j'ai de la difficulté à savoir à qui je m'adresse. Parfois, j'entends un enfant qui s'émerveille devant le monde et après, j'ai l'impression d'entendre un mélange de philosophe et de thérapeute qui me surprend avec des remarques dont je ne saurais dire si elles sont profondes ou complètement marteaux et débiles.

- C'est comme cela que je m'aime. J'exprime ce que je ressens au fur et à mesure sans me tracasser de ce que tu pourrais penser de moi, sans chercher à dire les choses qu'il te plairait bien d'entendre.

C'est vrai que Tom a une façon dérangeante de s'exprimer et qui ne m'est pas familière. Il utilise un langage clair et simple, mais en même temps, difficile à comprendre. Il dit ce qu'il a à dire, c'est tout. Et Tom enchaîne:

- Vois-tu tous ces gens qui se dirigent vers cette montagne que tu appelles le Mont-Royal?

- Oui, effectivement.

- Entends-tu une musique qui semble provenir de cette statue?

- Non.

- Moi je l'entends. J'ai le goût d'aller voir ce qui se passe. Tu m'accompagnes jusque-là?

Je n'ai pas vraiment le goût de l'abandonner seul sur la montagne. Je suis supposé être accompagné ou évalué par lui ou quelque chose de la sorte. D'un signe de la tête, un peu résigné, je lui signale que je vais le suivre.

Je ne dis pas un mot pendant que je fais le trajet vers la montagne à ses côtés. En cours de route, il a dû deviner quelque chose. Il s'arrête et me regarde dans les yeux.

- Est-ce qu'il y a quelque chose qui te tracasse?

- Non, pas vraiment.

Il me regarde droit dans les yeux. Un regard capable d'extirper la vérité de n'importe qui. Devant tant d'insistance, je ne peux plus lui cacher ce qui se passe plus longtemps.

- Tu abuses de ton pouvoir d'examinateur ou d'accompagnateur?

- Moi? T'abuser! Peux-tu préciser un peu plus ta pensée?

- Pourquoi ai-je à faire sagement tout ce qui te passe par la tête? Ce n'est pas un abus de pouvoir ça?

Je sens dans son regard un peu de colère. Le timbre de sa voix est plus sec, plus direct.

- Mon cher ami, quand je t'ai demandé si tu voulais m'accompagner à la montagne, qu'as-tu répondu?

- Oui.

- Est-ce que pour toi un "oui" veut dire "non", "peut-être", "à condition que"? Est-ce que ce "oui" cache des attentes ou des arrière-pensées? Est-ce que derrière ce "oui" je dois deviner autre chose?

- C'est que la faim commence à me tenailler. J'aurais aimé aller manger avant d'y aller.

- "Oui" pour toi veut dire "J'ai faim"?

- Pas tout le temps...

- Si tu veux être confus avec toi-même, ça te regarde, mais tu dois comprendre que moi, je n'entends que ce que tu dis. Si tu te caches des choses, c'est ton problème, pas le mien.

- Est-ce que j'ai un problème?

- Je ne t'ai pas abusé, tu te laisses abuser. Est-ce que tu as peur de t'exprimer? La prochaine fois, au lieu de dire et de penser "qu'une personne t'abuse", tu devrais te dire: "Je me laisse abuser par mes peurs et par mon incapacité de dire les vraies affaires".

- J'ai effectivement un problème!

- N'oublie pas que la personne qui a le plus de pouvoir sur ta vie, dont, entre autres, le pouvoir de t'abuser, c'est toi.

- J'ai sûrement raté mon évaluation.

- La dernière chose qui me préoccupe, pour l'instant, c'est ta fichue évaluation! Que tu aies 100% ou 0% à tes tests d'entrée, ça change quoi si, de toute façon, tu ne peux rien faire avec ce que tu sais? De plus, je suis ici pour t'accompagner, pour te préparer à ton entrée à l'Académie. En aucun temps, j'ai à t'évaluer.

Cet exposé a dû lui ouvrir l'appétit. Nous décidons d'aller nous restaurer un peu avant de nous rendre à la montagne. Je ne sais plus si j'ai encore faim. J'ai un noeud dans l'estomac. De toute façon, j'ai convenu avec Tom que nous allions au restaurant. Je n'ai pas le goût de repartir la discussion ni de changer d'idée!

CHAPITRE 3

On se retrouve dans un petit restaurant, pas vraiment du genre "fast-food", oserais-je dire. Lumière tamisée, chandelle placée au centre de chaque table, le décor est de style "Renaissance". Le personnel est bien vêtu et courtois. Une clientèle sympathique et d'un chic certain, et qui doit avoir quinze à vingt ans de plus que nous.

- Tom, tu n'as pas l'impression qu'on ne s'agence pas vraiment avec ce milieu?

- Moi je trouve que le bleu de ton jeans se marie très bien avec la tapisserie, le jaune de ton chandail s'harmonise avec la nappe et les taches rouges sur ton chemisier vont très bien avec les taches de sauce aux tomates que bientôt, je risque d'échapper sur cette nappe.

- Tom, tu n'es pas sérieux?

- Pour les taches de sauce aux tomates?

- Non, pour ta réponse, tu as compris ma question!

- C'est vrai, j'ai juste le goût de te taquiner un peu. Prends le temps de m'expliquer ce que tu veux dire plus exactement.

- Tout le monde est bien habillé, pas nous!

- Je ne savais pas qu'il fallait être bien mis pour avoir faim!

- Tout le monde est beaucoup plus âgé que nous!

- Là, tu marques un point. C'est vraiment injuste. À l'entrée une enseigne mentionne un escompte de 10% pour l'âge d'or. Tout le monde aura droit à l'escompte, sauf nous.

Cette dernière remarque s'accompagne de son air moqueur et narquois. Un petit sourire en coin qu'il ne perd que lorsqu'il se choque.

- Tom, tout le monde nous regarde, c'est gênant.

- Tu fabules. Depuis que nous sommes arrivés, tu as le goût de te cacher sous la table. Tu n'as pas levé les yeux ni regardé autour de toi. Malgré tout, tu es capable de me dire que tout le monde te regarde!

J'ai pris le temps de bien examiner autour de moi. Tout le monde est assis calmement, affairé dans des conversations. Personne ne se préoccupe de nous. Je me retourne vers Tom.

- En pensant que tout le monde me juge à cause de mon accoutrement et de mon âge, c'est moi finalement qui les ai tous jugés.

- Tes préjugés te font perdre contact avec la réalité. Tu inventes un monde qui te rejette. Pourtant, tout ce beau monde a l'air accueillant et chaleureux.

34

Sa façon de dédramatiser la situation est renversante. Je profite de l'occasion pour mieux comprendre les motifs de sa présence.

- Peux-tu me dire combien de temps l'évaluation va durer?

- Au départ, tu dois bien comprendre la situation. Je ne suis pas un évaluateur, mais un accompagnateur.

- Quelle est la différence entre les deux?

- Je ne suis pas là pour te dire ce qui est correct ou ce qui ne l'est pas, encore moins pour te juger dans ce que tu fais. Je t'accompagne et je te questionne pour t'aider à mieux te connaître. C'est une façon de te préparer pour ta formation et de faire une petite réflexion sur la vie en général.

- Mais si tu considères que je ne suis pas apte à suivre la formation, le résultat sera le même.

- Le résultat n'est pas important, c'est ce que tu en fais qui l'est.

- Et si on en revenait à ma question à savoir combien de temps tu restes avec moi?

- Qu'est-ce que la secrétaire t'a dit?

- Que tu allais décider combien de temps tu aurais besoin avec moi.

- Qu'il en soit donc ainsi. Je déciderai en temps et lieu.

- C'est quand même vague comme réponse.

- Pourtant c'est bien clair dans le contrat que tu as signé.

- Le contrat... quel contrat?

- Tu viens de déposer ta demande d'inscription et tu as signé tous les papiers pour ton admission.

Tom sort un papier de sa poche et le déplie.

- Lis-moi le paragraphe que j'ai encerclé en rouge.

- En déposant ma demande, j'accepte d'être accompagné pour être mieux préparé à suivre la formation. Cette préparation prendra la forme jugée nécessaire par l'école et par l'accompagnateur qui me sera attribué. Je mettrai à la disposition de celui-ci tout ce qu'il lui sera nécessaire pour compléter ma préparation.

- Et qui a signé en bas du formulaire?

- C'est moi.

- Un nouveau candidat doit être accompagné dans différentes expériences de sa vie pour l'aider à mieux se connaître et mener à bien sa préparation.

- Quel est l'horaire que tu proposes?

- Je viendrai à l'improviste vivre un moment avec toi pour te voir dans l'action.

- Vivre avec moi! Ça veut dire quoi au juste?

- Il va falloir que tu me remettes un double de la clef de chez-toi.

- Tu n'es pas sérieux?

- Oh que si! Devenir thérapeute, c'est adopter une nouvelle philosophie de vie. Tu ne peux pas vivre à temps partiel ou encore seulement de 9 à 5. C'est une remise en question perpétuelle, l'histoire d'une vie, la tienne et ça se vit 24 heures sur 24, 7 jours sur 7.

Nous prenons notre repas en silence. Tom éclabousse la nappe avec la sauce aux tomates comme il m'avait promis de le faire! J'ai même l'impression qu'il l'a fait volontairement. Est-ce sa façon de me tester ou encore de s'amuser à mes dépens?

Après ce copieux repas, nous reprenons notre route en direction de cette montagne où tant de gens accourent, là où Tom fantasme qu'une statue joue de la musique.

Notre pas est moins rapide. Je dois digérer un peu tout ce que je viens d'assimiler tant physiquement que moralement.

En approchant de cette statue au pied du Mont-Royal, je commence à entendre la musique que Tom avait déjà entendue depuis un bon bout de temps. J'ai vite compris de quoi il s'agissait. Un groupe de musiciens installés du côté ouest de la statue, donne l'impression que la statue joue elle-même de la musique. C'est comme si cette statue lançait un appel à tous de venir se joindre à la danse et au spectacle.

Le groupe est composé d'une dizaine de musiciens qui s'accompagnent surtout d'instruments de percussion. Toutes sortes de tambours, tous différents les uns des autres, jouant sur un rythme sud-américain ou africain ou un mélange des deux. Chaque morceau est une improvisation qui dure dix minutes, peut-être quinze. Le temps ne compte plus ni pour eux, ni pour les gens qui dansent devant eux.

J'ai la sensation de pénétrer dans un autre monde. Des centaines de jeunes gens se sont regroupés autour des musiciens. Telles des fleurs caressées par le vent, leurs corps se laissent bercer par une musique enivrante. Une danse où l'on n'a pas à compter les pas, juste à exprimer l'impulsion du moment, sans norme ni convention. Je reconnais l'un des danseurs. Tom se laisse aller au son de la musique et me regarde avec son air moqueur.

- Si tu as le goût de danser, j'espère que tu n'attends pas une invitation de ma part?

Pendant une bonne dizaine de minutes, Tom et moi se joignons au groupe avant de poursuivre notre route.

Tout autour se retrouvent des gens assis dans l'herbe, ayant devant eux, toutes sortes de marchandises à vendre: des bagues, des colliers, des boucles d'oreilles excentriques, des chaînettes et quelques vêtements peu conventionnels. Toutes ces breloques, on les retrouve déjà en plusieurs exemplaires sur les gens autour de nous. Quatre ou cinq boucles d'oreilles sur la même oreille! Et pourquoi pas?

Ma curiosité me pousse à questionner Tom.

- Est-ce que cette quincaillerie, ces vêtements, ces tatouages et ces couleurs dans les cheveux sont des symboles d'appartenance à un groupe, à un non-conformisme, à une expression de révolte contre l'autorité et envers les règles pré-établies?

- Ce n'est pas parce que j'ai des mèches rouges dans les cheveux que j'appartiens automatiquement à un groupe. Et ce n'est pas parce que je préfère garder mes cheveux courts et brun naturel que je ne fais pas partie de ce groupe.

- C'est à peu près la pire réponse dont je pouvais m'attendre. Tu réponds par oui et par non en même temps.

- Toutes ces breloques et ce linge très décontracté peuvent être l'expression de la liberté, mais en même temps, peuvent représenter un déguisement de plus, un masque à porter pour cacher sa vraie personnalité, autant qu'un habit ou un uniforme.

En continuant notre balade, nous croisons d'autres vendeurs. Tous et chacun crient la description de leurs marchandises pour s'attirer les clients potentiels.

Parfois, une guerre de prix éclate. C'est à qui annoncera la meilleure aubaine ou le meilleur "package". Si j'avais été au Stade olympique pendant une partie de base-ball, je me serais attendu à entendre crier: "Coke, chips, peanuts!". Ce que j'entends est légèrement différent: "Coke, bière, hasch, mescaline!". Quand on parle de "Coke", je me doute bien que l'on parle d'autre chose que d'une boisson gazeuse!

Le temps de cette réflexion et j'ai perdu Tom dans la foule. À moins que Tom ne m'ait laissé à mon émerveillement, face à mes nouvelles découvertes. Est-ce que mon accompagnement est déjà terminé et qu'il est retourné à son bureau? Inquiet, je le cherche un peu partout.

En apercevant Tom, mon sang se glace dans mes veines et s'arrête net. Il trône sur une grosse pierre, une bière à la main et il échange un joint avec une fille qui a la moitié de son âge!

Me voyant à son tour, Tom me fait signe de m'approcher. Avant même d'arriver, la fillette a déjà disparu.

- Tom, je suis surpris de ce que j'ai vu et un peu mal à l'aise aussi. La bière ça peut aller, mais pas ce joint que tu échangeais avec cette fillette!

- Pour comprendre, tu n'es peut-être pas rapide, mais pour tomber dans le jugement, ta vitesse m'épate.

- Qu'est-ce que tu veux dire au juste?

- Cette "fillette", comme tu as osé l'appeler, a peut-être quelques années de moins que moi, mais pas assez pour en faire un drame. Est-ce que tes yeux se sont laissés influencer par son habillement et le fait de la voir marcher pieds nus dans l'herbe?

- J'ai sûrement besoin de verres correcteurs!

- Peut-être as-tu jugé son âge parce que toi, à l'âge que tu as, tu ne te serais pas permis de t'habiller comme elle. As-tu peur que l'on te juge? À moins que tu aies cru voir ta propre fille et que tes jugements de père de famille t'aient aveuglé?

- Je dois y réfléchir. Mais pour ce joint, Tom, quand même!

- À peu près n'importe quoi, même un joint, peut être bon, dans la mesure où il n'y a pas de dépendance ou d'abus. Si mon bonheur en dépend, j'ai un problème. Si je ne peux rien faire sans en avoir, j'ai encore un problème. Si je ne peux satisfaire mon besoin de l'essayer sans en faire un abus, j'ai encore une fois un problème. Quand je pense à tes 75 cigarettes par jour, je me demande bien qui a un problème, qui est dépendant?

- Est-ce que tu as essayé ce joint juste pour me faire réagir?

- Est-ce que j'ai réussi?

Profitant de mon silence, Tom poursuit.

- Trop vieux et trop bien habillé pour ce groupe, au restaurant tu étais trop jeune et trop mal habillé. Est-ce une façon de t'isoler et de toujours rester seul?

Incapable de répondre, Tom continue encore.

- Tu sais, les autres ne sont là que pour refléter ce que tu vis. Chaque personne est comme un grand miroir et à travers elle, tu peux apprendre à te découvrir.

Je réussis à répondre à Tom.

- Le plus surprenant, c'est que les images que je vois le plus souvent sont les images qui me font le plus peur, celle que je voudrais fuir, celles que j'accepte moins qu'elles puissent m'appartenir ou exister.

- Ce miroir reflète pourtant ta réalité. Est-ce que tu as un problème à accepter cette image de toi?

- J'aimerais mieux voir une image différente.

- Tu voudrais y voir une réalité qui n'est pas la tienne. Tu as de la difficulté à t'accepter comme tu es. C'est pour cela que tu portes différents masques pour cacher ta vraie personnalité. C'est comme un miroir magique. Malgré tous les masques que tu portes, malgré tous les rôles que tu joues, malgré tous les déguisements que tu inventes, l'image qui te revient est toujours la même; celle de ta vraie personnalité, celle que tu refuses d'accepter et que tu aimerais bien fuir. Le seul qui tombe dans le piège et qui peut voir autre chose, c'est toi! Le seul qui peut croire à ces mensonges, c'est toi. Le miroir, lui, ne ment jamais.

Pour tenter de fuir cette dure réalité que Tom me propose, je me moque un peu de ce qu'il dit.

- Miroir magique, dis-moi qui est le plus beau?

Tom joue le jeu et répond à mon commentaire.

- Cet enfant qui sommeille en toi. Je vais lui jeter un mauvais sort, je vais le refouler au plus profond de toi. Je vais le cacher derrière tes complexes, tes peurs, ta gêne...

CHAPITRE 4

Nous quittons le Mont-Royal exactement par le même chemin pour s'y rendre. En descendant la rue St-Denis et prenant un air gonflé de satisfaction, j'interpelle Tom.

- Tom, as-tu dit que tu aimais le changement?

- Oui, c'est vrai.

- Que tu aimais l'inconnu?

- C'est toujours vrai.

- Que tu n'aimais pas les retours conformes à l'aller?

- On ne peut rien te cacher.

- Tom, je t'ai pris en défaut. Depuis notre départ de la montagne, nous sommes revenus exactement sur nos pas. Je t'ai suivi, c'est toi qui as décidé du chemin.

- Tu as déjà fait du ski dans le Nord?

- Oui, mais jamais sur la rue St-Denis.

- Si tu retournes aujourd'hui, en plein été, sur une pente de ski, aurais-tu l'impression de revivre une journée de ski?

- Pas vraiment, la piste serait gazonnée au lieu d'être enneigée, les arbres remplis de feuilles, il ferait beaucoup plus chaud, possiblement que je serais seul (il n'y a pas beaucoup de skieurs en juillet) et je ne serais pas habillé de la même façon. J'aurais l'impression d'être en camping.

- Donc, la même route que tu utilises en des saisons différentes n'est plus la même. Tu y vis et y découvres des choses complètement différentes.

- Oui, mais entre l'après-midi et le soir, la rue St-Denis, la même journée, je ne crois pas avoir changé de saison. Je ne vois pas de neige.

- Prends le temps de bien regarder. Les librairies que nous avons visitées en début de journée sont maintenant fermées. Les petites terrasses vides et abandonnées de l'après-midi regorgent maintenant d'activités. Même sur la rue, les camions de livraison et les travailleurs ont fait place à des touristes, des promeneurs et des gens qui veulent faire la fête.

- Je vais prendre rendez-vous pour un examen de la vue.

- C'est vrai qu'il n'y a que quatre saisons dans une année complète. Mais pour un lieu donné, les saisons alternent en fonction de leur propre cycle de vie. Il faut apprendre à regarder avec les bons yeux. Apprendre à ressentir ce que l'on voit et voir les choses pour ce qu'elles sont. C'est la différence entre exister et vivre.

Le reste du chemin se fait avec le plaisir de regarder les changements de saison. Des saisons qui ne changent pas au même rythme d'un endroit à l'autre. Vu de cette nouvelle façon, le monde est tellement plus fabuleux à découvrir.

Profitant de cette nouvelle façon de voir, je me permets d'interroger Tom.

- Tom, quand je te pose une question, tu me réponds par une image que tu me décris. Est-ce par paresse?

- Une image vaut mille mots et c'est par souci d'un bon enseignement.

- Moi qui croyais que tu étais là pour m'évaluer, non pas pour m'enseigner!

- Tu fais vraiment une obsession de cette évaluation. Tu as besoin d'être jugé par les autres pour savoir si tu es correct. Souffres-tu d'insécurité?

- J'ai de la difficulté à me faire confiance. J'ai besoin d'être confirmé dans ce que je fais et ce que je dis.

- Serait-ce pour cela que tu tournes toujours en rond? Tu attends que quelqu'un d'autre approuve ce que tu as à faire. Si personne ne te dirige, tu risques de ne pas te rendre bien loin.

- Je tourne peut-être en rond, mais toi, tu ne mâches pas tes mots. Tu ne t'étouffes pas avec la diplomatie.

- Si tu regardes le sens du mot diplomatie dans le dictionnaire, tu y verras qu'on y parle de l'art d'établir des rapports entre les gens. Si je veux établir un bon rapport avec toi, il faut bien que je te dise ce que je pense réellement.

- Tu pourrais me ménager un peu, être plus délicat dans tes commentaires.

- La vie est trop courte pour se perdre en mascarade.

- La journée s'achève, tu vas pouvoir me donner mes résultats de la journée, j'espère.

- Ton évaluation n'est même pas commencée. Je n'en suis qu'à l'étape de t'accompagner et à celle d'essayer de te faire réfléchir un peu sur tes comportements. L'aurais-tu déjà oublié?

- Tu veux que je revienne te prendre demain à ton bureau?

- Non, ce soir je vais coucher chez toi.

- Tu t'invites souvent comme ça chez les gens?

- Qui est le thérapeute? Toi ou moi?

- Je ne pensais pas que c'était aussi exigeant, que j'avais à m'impliquer autant.

- Quand on veut vivre sa vie, il faut s'y investir. Si tu veux continuer à survivre et à faire semblant d'exister, je peux m'en retourner.

- Non, non, c'est correct, je te laisse décider. Tu es le bienvenu chez moi, tu sais.

- Ouais! Ouais!

- Je peux t'offrir la causeuse du salon ou un lit de camp.

- Le lit de camp sera super.

- À propos de ces images que tu me fournis sans cesse?

- Après l'obsession de son évaluation, c'est maintenant l'obsession des questions qui n'en finissent plus. J'ai l'impression qu'on a encore un bon bout de chemin à faire ensemble.

- Je commence à me plaire en ta compagnie.

- On verra l'ami, on verra.

- Et pour ces images?

- Puisque tu insistes encore. Ton cerveau est divisé en deux: une partie s'occupe de gérer la raison, la pensée, le rationnel tandis que l'autre gère les émotions et l'imaginaire. C'est cette partie que tu as étouffée et que tu n'oses plus faire fonctionner. Cette partie produit des images qui ont la faculté d'aller rejoindre la première pour l'influencer.

- Les images auraient la faculté d'influencer ma raison!

- Cette image qui remonte vers la partie rationnelle de ton cerveau a la capacité de générer un paquet de mots. Il est tellement plus facile de visualiser une image que de retenir tous ces mots.

- C'est pour cela que je dis que tu es paresseux. Au lieu de prendre le temps d'utiliser tous les mots nécessaires pour que je comprenne, tu te limites à me lancer une image en supposant que j'ai tout compris.

- Si j'essayais de t'enseigner avec des mots, ton côté rationnel serait sur la défensive. Parce qu'apprendre, c'est changer et que tu as peur du changement. En plus, si mon enseignement comprenait trop de mots, aurais-tu la capacité de tous les retenir dès la première fois?

- Je suis quand même intelligent.

- Oui, mais tu n'utilises pas à bon escient ton intelligence. Tu l'utilises à essayer de comprendre la vie plutôt qu'à la vivre.

- Je ne comprends toujours pas pourquoi tu passes par des mots pour décrire une image.

- J'utilise des mots pour décrire une image. Cette image se place, à ton insu, dans la partie de ton cerveau qui gère l'imaginaire. Quand je peux, je rajoute une émotion dans la description pour rendre l'image plus intense.

- Et ça donne quoi tout cela?

- Si un jour, tu as besoin de mon enseignement, tu n'as qu'à penser à cette image que je te laisse. Elle remontera dans ta partie rationnelle et tu pourras en faire ce que tu voudras.

- Et qu'est-ce que je pourrais en faire?

- Entre autres redécouvrir tous les mots qui se cachent derrière l'image, sans effort, sans rien apprendre par coeur. Les mots que tu utiliseras seront les tiens, différents de ceux que j'aurai utilisés, mais ils te seront utiles, je l'espère.

- N'est-ce pas cela qu'on appelle un lavage de cerveau?

- Avec toutes les connaissances théoriques que tu as emmagasinées et avec lesquelles tu ne fais rien, ce n'est pas un petit lavage qui te fera du tort.

- As-tu toujours réponse à tout?

- C'est une façon de rendre vivant l'enseignement que je tente de t'apporter.

- C'est ce que je disais, je suis en train de me faire laver le cerveau par un parfait inconnu.

- C'est toi qui demandes à être évalué. Fais confiance à ton discernement. Tu es sûrement capable de faire la différence entre ce qui est bon pour toi et ce qui ne l'est pas. Fais confiance à la vie un peu. Détends-toi et respire par le nez.

- Pourquoi? Par la bouche ce n'est pas correct?

- Tu vois comment on peut tourner en rond quand je n'utilise que des mots? Tes défenses sont farcies de pourquoi, de comment, de correct ou de pas correct. Parfois tu tournes en dérision ce que je dis.

CHAPITRE 5

Le retour à la maison se passe dans le silence. Que pouvais-je bien dire d'autre à ce personnage qui m'est imposé? Je stationne la camionnette face à la maison. Je remarque la facilité de stationnement que l'on a dans l'Est de Montréal. On a presque toujours l'espace que l'on veut, peu de restrictions. C'est l'une des raisons qui me fait apprécier Pointe-Aux-Trembles. Je l'ai toujours dit: "l'avenir est dans l'Est".

La journée a été, malgré la présence imprévue de Tom, très plaisante et très instructive. J'installe un lit de camp dans ma chambre. En m'allongeant sur mon matelas confortable et moelleux, je culpabilise de voir Tom tout recroquevillé sur son petit lit. Après tout, c'est lui le grand sage de qui je dépends pour pouvoir faire mon stage. Je soulève la tête et lui demande.

- Veux-tu prendre mon lit, je vais prendre ton lit de camp?

- Pourquoi?

- Je t'offre mon lit en échange du tien.

- Est-ce que tu préfères dormir dans un petit lit de camp plutôt que dans ton beau grand lit?

- Non, pas vraiment.

- Alors je ne comprends pas pourquoi tu m'offres ton lit!

- Parce que je me sens mal de te voir couché dans le lit de camp.

- Tiens, tiens! Monsieur fait de la culpabilité avancée! Je dois t'avouer que ce lit de camp est un château par rapport aux endroits où j'ai l'habitude de coucher.

- Tu ne m'aides pas à déculpabiliser.

- Si tu culpabilises, ce n'est pas mon problème, c'est le tien. Quand je suis arrivé, tu as mis des conditions précises et tu m'as parlé de ce lit de camp. Tu t'en souviens?

- Oui.

- J'ai accepté tes conditions, j'en suis heureux et je les apprécie. Si je suis capable d'apprécier ce lit de camp, tu devrais être capable d'apprécier ton grand lit.

- Pas nécessairement.

- Pourquoi?

- Parce que tu n'es pas confortable.

- Quand tu dis que je ne suis pas confortable, tu penses pour moi. C'est déjà assez compliqué de penser pour toi seul. Garde donc ton énergie et arrête de penser pour moi.

- C'est être prévoyant, attentionné, ça part d'une bonne intention. Je tiens à ce que tu sois confortable.

- J'aime ça quand tu penses à moi, mais je n'aime pas que tu penses pour moi. Je suis assez grand pour m'occuper de mes affaires.

- Tu mérites quand même mieux que cela.

- Est-ce que tu es en train de te dévaluer? Est-ce que tu veux dire que toi, tu ne mérites pas plus qu'un lit de camp?

- Pas nécessairement.

- Et pourtant c'est ce que tu dis.

Malgré les arguments de Tom, j'ai un peu de difficulté à accepter de garder mon grand lit. Cette première journée avec Tom m'apporte beaucoup de matière à réflexion. Possiblement plus que ma capacité d'absorption. Le sommeil est sur le point de me gagner, lorsque tout à coup, j'ai peur des surprises que Tom puisse m'apporter à mon réveil. J'ose lui poser une autre question.

- Tom, tu ne fais pas de jogging à quatre heures du matin, j'espère?

- Non. Je préfère marcher tout en visitant comme nous l'avons fait aujourd'hui.

- C'est vrai qu'on a dépensé des calories.

- Tu sais, en toute chose, il y a deux polarités. Tu peux en faire quelque chose de relaxant. Ainsi tu t'extériorises, tu t'exprimes et tu es en relation avec la nature environnante. En même temps, cela peut être un moyen pour fuir et t'isoler du reste du monde.

- Continue, je suis toujours à l'écoute même si je n'ai pas vraiment compris.

- Prends l'exemple du jogging. Tu peux en profiter pour sentir la nature, les arbres, le gazon autour de toi, pour saluer le facteur en passant, pour faire un beau sourire ou pour apprécier l'air que tu respires. Tu peux également en profiter pour laisser ton intuition guider ton chemin et apprécier les changements autour de toi.

- J'imagine mal que cela pouvait être une façon de m'isoler.

- Tu mets un baladeur sur tes oreilles pour être sûr de ne rien entendre. Tu te contentes de regarder le chemin droit devant toi pour ne pas te laisser distraire. Tu veux contrôler ta respiration pour être plus performant parce que, de toute façon, tu as passé ta vie à vouloir tout contrôler. Tu prends toujours le même chemin parce que tu l'as mesuré précisément. Tu as ton chronomètre à la main pour bien minuter et toujours te dépasser. Tu ne prends pas le temps d'admirer une nouvelle fleur qui a poussé sur ton chemin ni de regarder la vie autour de toi. De toute façon, tu ne l'as même pas vue!

- Ça fait beaucoup de choses à penser, ça semble facile à dire, mais compliqué dans son application de tous les jours.

- C'est pourtant si simple. Pour toutes les choses que tu fais, tu as le pouvoir d'en faire une chose extraordinaire ou d'en faire un acte très banal. Seul quelqu'un qui s'aime peut aimer les gestes quotidiens qu'il pose.

- Cet exemple que tu donnes me rappelle une expérience que j'ai vécue avec ma fille. Elle m'avait invité au festival de la santé. Nous avons passé la journée ensemble à marcher tout le long du parcours. Juste pour le plaisir d'être ensemble et de participer. Je pense que c'était la première fois que je participais à un événement sans me préoccuper de savoir si j'arriverais premier ou dernier.

- Et comment t'es-tu senti après cette journée?

- Ça été la plus belle journée de ma vie. Heureux et satisfait d'avoir passé ce temps avec ma fille.

- Enfin, tu commences à comprendre.

Tranquillement, le sommeil me gagne. Tom a possiblement continué de parler. Mais j'ai fait comme j'ai toujours fait auparavant, je n'écoute plus.

Tom continue de parler pendant un certain temps. Je suppose qu'il sait que je me suis endormi mais il continue tout de même. Il fait un discours sur les manières de fuir la réalité, la peur de vivre ses émotions. Cela doit expliquer ma série de rêves ou plutôt de cauchemars un peu baroques qui pourrait ressembler à un cours de philosophie.

Dans mon premier rêve, je fais du jogging. Évidemment, je porte ce fameux baladeur, le volume poussé à fond. Comme un cheval, j'ai des oeillères. Je cours comme un défoncé. J'essaye de distancer les événements de ma vie qui me font souffrir, toutes ces expériences que je tente d'oublier. Tôt ou tard, je serai à bout de souffle et ils me rattraperont.

Dans un autre, je me retrouve au bureau. Entouré de tout le personnel, enseveli sous des tonnes de paperasse, les quatre lignes de téléphone sonnent sans arrêt, suppliant sans cesse que l'on m'apporte des problèmes à régler, pour éviter de régler les miens. Tôt ou tard, toutes les piles de papier s'écrouleront et je ne pourrai plus me cacher.

Ensuite, je me retrouve sur un banc d'école. J'ai une sorte de bonnet d'âne posé à l'envers sur ma tête. Je me bourre le crâne de tous les cours que je peux trouver. Si je garde la tête pleine de n'importe quoi, il n'y aura plus de place pour mes émotions, pour ce qui pourrait me toucher. Un jour, ma tête va se dégonfler comme un ballon et mes émotions trouveront leur chemin.

Je me place le bonnet d'âne dans la bouche. J'y vide le contenu de tous les réfrigérateurs que je peux trouver, j'ingurgite tout l'alcool qui me tombe sous la main. Quand j'aurai régurgité cette bedaine qui me sert de bouclier, je me sentirai dénudé, sans protection devant qui je suis réellement.

Je vois mon sang rempli de produits chimiques et toxiques. Je vois mon sang s'écouler de mes poignets. Mon propre sang qui n'ose plus prendre contact avec l'appel de mon coeur.

Je fais le tour du monde pour entendre tous les conférenciers. J'assiste à tous les séminaires. J'écoute tous les gourous. Je lis tous les livres de tous les prophètes. Je fais jouer toutes les musiques et brûler tous les encens. J'essaie tous les déguisements; bref, pour ne pas entendre cette petite voix qui crie de l'intérieur.

J'imprime de l'argent pour acheter un amour que je ne me donne pas. Je donne tous les cadeaux que je trouve au lieu d'accepter le cadeau de me sentir bien avec moi-même. Je crée des emplois pour tous au lieu de m'employer à me créer une vie sereine et harmonieuse.

Je m'impose des principes que je tente de suivre. Je veux maîtriser des valeurs. J'adhère à des normes et à des conventions. J'accepte des idéaux qui ne sont pas les miens.

Tant de fuites de la réalité! Est-ce que ma vie n'est que rêver d'une personne que je refuse de connaître? Le personnage n'existerait-il que le temps du spectacle? La représentation terminée, il retourne au placard. Est-ce que la présence de Tom est l'occasion qui m'est offerte pour me réveiller, pour sortir de mes habitudes et de ma routine et pour commencer à vivre plutôt que simplement exister?

Tom arrête de parler. Mes rêves prennent fin. Cette première nuit, avec Tom à mes côtés, se termine par un profond sommeil.

CHAPITRE 6

Au réveil, je suis surpris de retrouver cet évaluateur, ou plutôt cet accompagnateur, dans ma chambre à coucher. Pour l'instant, nous n'échangeons pas de grandes réflexions. Pendant le repas, une certaine nostalgie remonte sans cesse. Ça fait un bout de temps que je me retrouve seul lors des repas. Aussi bizarre que cela puisse paraître, ce déjeuner avec Tom me rappelle mes cinq années dans l'aviation. Je me souviens de la fraternité qui existait entre de jeunes pilotes partageant la même passion: le vol.

Je me rappelle un certain café pris le matin avec l'un de mes confrères de vol. On discute de sécurité aérienne et de certaines manoeuvres. Bien que nous travaillions dans des aéroports différents, nous nous sommes liés d'amitié. Il venait régulièrement prendre un café et discuter. Ce matin-là, il était pressé et il n'a pas pu rester longtemps. Je me suis levé et j'ai payé les cafés. Le prochain café serait pour lui. Il était parti sans même me saluer.

J'ai eu tout un choc dans l'après-midi lorsque j'ai appris la nouvelle de son décès. À la suite d'une certaine manoeuvre, pendant cette fraction de seconde où un pilote dépend malheureusement du moteur et que toutes les belles théories de vol ne servent plus à rien, le moteur a calé. Cette manœuvre, lorsqu'effectuée à très basse altitude ne pardonne pas.

J'ai été en état de choc pendant plusieurs jours. J'ai tenté d'oublier. Ce n'est pas le genre d'accident que l'on peut effacer de sa mémoire. En cinq ans, j'ai vu une dizaine de confrères sombrer dans cette vaste mer de l'oubli; cette mer qui vous renvoie sans cesse ses vagues d'amertume. Ces vagues qui veulent s'écouler le long de mes joues, malgré toutes mes tentatives pour les refouler. En tentant d'oublier, j'ai fini par m'oublier!

Aujourd'hui, j'ai quitté l'aviation depuis onze ans. Le vol est le genre de passion que l'on ne peut extraire de son sang. On reste accroché. On a la piqûre et aucune cure de désintoxication n'est efficace. Malgré cette passion, je n'ai jamais osé retourner dans un aéroport depuis ce temps. Subitement, je sors de mes réflexions personnelles et je me retourne vers Tom.

- Tom, je te paye un café à l'aéroport.

- Prêt à décoller? Je te suis.

Le goût de reprendre le "manche à balai" a toujours été présent. Le courage de le faire est tout nouveau.

En arrivant à l'aéro-club, nous nous installons à la terrasse avec nos cafés. Juste à regarder ces oiseaux de métal, cela me redonne le goût d'aller caresser le ciel et taquiner quelques nuages. Je suis hypnotisé par le ronronnement du moteur. À plein régime, pendant la course du décollage, s'arracher du sol pour enfin gagner la liberté. La discordance du son d'un bimoteur tournant à plein régime me fait vibrer de partout. Le son supersonique des bouts d'hélice vient me secouer au plus profond de mes entrailles. J'en ai des frissons dans le dos et la chair de poule. Malgré toutes ces sensations, je regarde Tom.

- Je suis quand même déçu, Tom.

- Pourquoi?

- Beaucoup de choses ont changé depuis le temps. Il y a plus d'instructeurs et moins d'étudiants. Moins d'aéro-clubs, mais beaucoup plus gros. À l'époque, on se battait pour moins travailler tellement nous étions épuisés. On enfilait un sandwich pendant le réchauffement du moteur pour le décollage. L'instruction le jour et les vols nolisés la nuit. Aujourd'hui, on semble se battre pour réussir à voler au moins une heure par jour.

- Et tu t'attendais à quoi? Que pendant onze ans, le monde ne bouge plus, qu'il reste pareil à ce qu'il était parce que toi, tu n'y étais pas. Quatre-vingts pour cent des endroits où tu as déjà travaillé n'existent même plus. Certains aéroports sont devenus des projets domiciliaires.

- Je suis nostalgique.

- Le monde a évolué entre-temps. Tu dois accepter ces changements. C'est un train qui avance. Tu es resté à la gare pendant onze ans. Maintenant tu veux reprendre le train. Saute dedans là où il est aujourd'hui. N'essaye pas de retrouver ton passé. Tu ne peux revivre ce qui n'existe plus.

- Et tous mes souvenirs, j'en fait quoi?

- Ils sont à toi, tu peux les garder. Tu peux les faire revivre dans ta mémoire. Mais ne t'y accroche pas inutilement. Tu sais le monde a évolué depuis St-Exupéry!

Le regard de Tom est rempli de compassion. Je ne suis pas le seul à être assailli de souvenirs remplis d'émotions. Sans rien dire, juste par son regard et sa présence, il demeure en relation avec ce que je vis. Les mots n'ont pas la force de transporter toute l'émotion qui me fait vibrer. Tom me met la main sur l'épaule.

- Accepte de vivre la beauté de l'instant présent. Regarde aujourd'hui où sont tes intérêts. Ta force, tu la trouves en partant de tes besoins actuels et en fonçant par en-avant. Ne pars pas à la recherche de ton passé, il reviendra de lui-même vers toi quand tu en auras besoin.

- Je ne sais plus qui je suis aujourd'hui. À l'époque, je me disais que je serais plus heureux dans dix ans. Aujourd'hui, je me dis que j'étais plus heureux il y a dix ans.

Tout en continuant de savourer mon café à l'aéroport, je remarque un jeune homme près de la rampe à la table la plus près de la piste. Il regarde les avions décoller. J'ai l'impression qu'il parle tout seul. Intrigué, je m'approche plus près pour mieux l'entendre.

- Cessna 150...

Il identifie chaque avion qui prend son envol.

- Cessna 172...

Comme une étiquette qu'il accroche à chacun de ces oiseaux de métal.

- Aztèque Sénéca 2...

Il connaît tout de même très bien les différents types d'avion.

- Cessna 150 Aérobat...

Son verdict tombe comme le marteau du juge.

- Cherokee Warrior 140...

Est-ce que l'identité de chaque avion dépend des connaissances de ce jeune?

- Piper Cub...

Et s'il se trompait? Qu'adviendrait-il de l'avion? Pourrait-il continuer à voler?

- Navajo...

Je m'imagine dans mon avion en bout de piste. Je m'élance pour prendre ma vitesse. J'attends le verdict. La sentence prononcée, je peux enfin m'arracher du sol. Si, dans un instant de distraction, il oublie de m'apposer une étiquette, il ne me reste plus qu'à défoncer les clôtures en bout de piste.

- Cessna 206...

Je sens un malaise. Est-ce que ma capacité de voler dépend toujours de moi? Est-ce que les réponses aux questions que je me pose m'appartiennent encore ou sont-elles imposées de l'extérieur? Ce jeune homme représente-t-il la société poseuse d'étiquettes?

- Alcoolique...

Chaque étiquette reçue me dirige vers un chemin, une solution imposée.

- Dépendant affectif.

À chaque maladie attribuée, je reçois la sentence d'une guérison forcée, prédéterminée, sans prendre le temps de comprendre la cause profonde de ma détresse.

- Maniaco-dépressif...

Pourquoi faut-il que tout soit perçu comme une maladie, une déviance? Pourquoi ne pas y voir un qualificatif qui me caractérise?

- Hypersensible...

Pourquoi ne pas accepter la personne dans son entité, sans étiquette, sans lui remettre les prescriptions sous-entendues avec tous ces jugements.

- Insomniaque...

Et si le juge se trompait? Si on me forçait à prendre un mauvais chemin?. Pourquoi n'être pas accepté tel que je suis, avec ma liberté de choisir mon chemin? Ma liberté d'écouter ma voix intérieure qui veut exprimer une direction différente, la solution qui est mienne, qui sommeille en moi? On ne peut m'imposer une aide, offrez-moi des solutions. Je ne cherche pas à être pris en charge. Je cherche un respect mutuel.

- Cessna 150...

Vraiment bien calé ce jeune. Dommage qu'il ne ressente pas toute la passion du vol qui se cache derrière ces quelques feuilles de métal pliées. Est-ce à moi de le juger ainsi?

Je retourne lentement à la table de Tom.

CHAPITRE 7

Nous quittons l'aéroport. Je ne sais plus trop où me diriger. Tom entame la discussion.

- Depuis hier soir, je t'ai laissé méditer. Tu as fait de belles réflexions, mais un peu trop sérieuses à mon goût. Je t'ai peut-être laissé trop de corde. J'ai besoin de m'amuser un peu plus. Je ne veux pas rester seul pendant que tu t'abandonnes à tes réflexions.

- Tu es avec moi, je ne t'abandonne pas!

- Ma présence ne fait pas de différence. Si tu médites avec les yeux de la souffrance, tu ressentiras la souffrance. Je veux te faire découvrir la vie à travers les yeux de la joie et de l'émerveillement.

- Si tu passes ton temps à me faire découvrir toutes sortes de choses, ça devient une drôle d'évaluation.

Sans se préoccuper de ma dernière réflexion, Tom continue.

- Tu tournes à gauche à la prochaine intersection.

Après une série de virages, je ne sais toujours pas où Tom me dirige. Par son regard pétillant, je sens qu'il va s'amuser. J'ai peur qu'il ne prenne l'habitude de s'amuser à mes dépens.

- Où m'amènes-tu Tom?

- Tu verras, fais-moi confiance.

Il me fait stationner devant un grand amphithéâtre. Des gens bien habillés attendent en ligne pour entrer. Je ne vois aucune description de l'événement. Tom avait pris soin de payer et de garder les billets. Possiblement pour éviter que je voie le nom du spectacle sur les billets.

En entrant, je reçois un programme. Un peu bousculés par la foule, nous cherchons nos sièges. En m'assoyant, j'ouvre le programme.

- Tom! C'est un spectacle de ballet!

- On ne peut rien te cacher.

- Tu m'as dit que tu voulais t'amuser?

- C'est toujours vrai.

- Du ballet, tout le monde est habillé en blanc, ils recommencent sans cesse trois ou quatre "steppettes", toujours les mêmes et je risque de m'endormir avant la fin.

- Pour l'instant, c'est ta perception des choses. Je l'accepte et c'est correct comme cela.

La présentation commence. Le thème est intéressant: "Les saisons". Le rideau se lève. Dès l'ouverture, je suis stupéfait. Il y a des décors. On retrouve des couleurs dans les costumes. Les rythmes utilisés varient d'une saison à l'autre, d'un sous-thème à l'autre.

Comme un écrivain l'aurait décrit d'un chapitre à l'autre, au gré des différents tableaux, je peux vivre les changements de saison. Au lieu de se limiter à des mots pour toucher l'imaginaire d'un lecteur, ces artistes possèdent la couleur, le rythme de la musique, ils jouent avec trois dimensions. Toutes ces danseuses se retrouvent sur une scène, débordantes d'énergie.

Les costumes sont très visuels et s'adaptent à chacun des thèmes présentés. Je m'étonne et je suis stupéfait lorsqu'ils éteignent les lumières. Je ne vois plus les danseuses. Il n'y a que des costumes phosphorescents. Je réussis à peine à m'imaginer tout le travail que cela peut représenter de préparer une chorégraphie dans l'obscurité.

Je me laisse bercer par la féerie de ce spectacle. Je me revois dans mon avion quand j'ai appris à voler dans les nuages, sans aucune référence au sol. Ma vie dépend de quelques lumières sur le tableau de contrôle, de quelques aiguilles bien alignées, d'un chronomètre bien synchronisé pour réussir à sortir des nuages au bon endroit et au bon moment. Juste devant, un aéroport qui nous ouvre les bras pour revenir sain et sauf, plutôt qu'une montagne repoussant notre approche.

J'essaie de faire la comparaison avec cette troupe sur scène qui danse sans lumière, devant près de mille personnes! Toutes ces danseuses, en pleine obscurité, sur une scène ténébreuse, réussissent à mener leur spectacle à bon port, sans l'aide d'aiguilles, de lumières ni de chronomètres. Juste par le rythme de la musique, en suivant des parcelles de lumières phosphorescentes éparpillées sur les costumes qu'elles portent. Elles sont vingt, trente et, à l'occasion, quarante sur scène, à se suivre en même temps.

Moi, quand j'étais perdu dans mes nuages, j'avais besoin de toute mon énergie pour poser un seul avion au sol! Si nous avions été quarante en même temps, ça aurait été la catastrophe!

Certains thèmes sont joués par les professeurs de ballet et leurs étudiants. Ces professeurs se retrouvent au bout de chaque rangée d'étudiants. Je les vois souriants et confiants devant leurs étudiants qui donnent le spectacle.

Je me souviens, lorsque j'étais instructeur de vol et que, pour la première fois, je débarquais de l'avion pour laisser mon étudiant faire un décollage et un atterrissage. Le moment tant attendu par tous les apprentis: le premier solo d'un pilote. Pendant ce temps, en attendant son retour, je demeurais impuissant au sol. Je m'inquiétais toujours, même si je savais que son vol serait impeccable.

Je retrouvais la même pression, lorsque pour la première fois, j'autorisais l'étudiant à faire un vol solo de trois heures. Seul dans l'avion, sans que je sois là pour l'aider. Qu'arriverait-il s'il se perdait, si la météo devenait moins clémente? Cette attente interminable de trois heures avant l'arrivée saine et sauve de l'étudiant devenait une éternité pour tout instructeur de vol.

Pendant ce temps, malgré tout le stress et la pression de leurs étudiants et des spectateurs, ces professeurs sont en avant du groupe avec un sourire qui laisse présager une confiance à toute épreuve. Moi, je grillais une cigarette derrière l'autre, en me morfondant dans l'attente du retour de mon étudiant.

Je devine qu'ils ont mis beaucoup d'heures de travail pour arriver à cette représentation. Sans compter le travail de collaborateurs qu'on ne peut voir. Les chorégraphes réussissent à nous émouvoir avec ces scènes. Lorsque je me sers de mon crayon et de mon papier blanc, je peux créer n'importe quel scénario. Le chorégraphe doit tenir compte des limites des danseurs qui serviront d'intermédiaires entre lui et le spectateur.

Les concepteurs de décors, quant à eux, en une seule image, m'obligent à utiliser les mille mots nécessaires pour arriver au même résultat. Les éclairages réussissent à mettre la vie plus réelle sur la scène et à créer des effets mirobolants. Les régisseurs du son créent une dynamique pour envelopper le groupe d'une aura toute particulière et pour amener le spectateur dans divers lieux et divers mondes. Tous les sens du spectateur seront mis à profit dans cette féerie.

Le spectacle est l'aboutissement de tout le travail fourni par la troupe, mais aussi la récompense de l'acharnement durant des mois et des mois de pratique.

Il y a un doux mélange de ballet classique, de ballet moderne et de ballet jazz. À certaines occasions, il n'y a que du blanc. À d'autres, il y a autant de couleurs qu'un arc-en-ciel peut en contenir. Je ne réussis pas à compter les pas de danse. Ils se succèdent sans jamais se répéter.

Je m'identifie à ces artistes. Je suis touché par l'expression de leur liberté intérieure, de leur joie de vivre, de leur bonheur et de leur émerveillement. Tout cela peut s'exprimer par la danse, la musique, la peinture, l'écriture, la passion du vol, les maisons que l'on construit, les enfants que l'on élève, que l'on éduque, la ville que l'on nettoie, que l'on entretient, tous les patients que l'on soigne... Peu importe le moyen d'expression que je choisisse, en autant que j'y mettrai tout mon coeur et ma joie de vivre.

Dès la fin du spectacle, les applaudissements retentissent de partout. Après quelques rappels, les gens se dirigent vers les coulisses. La foule s'entasse attendant la sortie des vedettes. Tom et moi restons pour voir ce rituel qui fait partie du spectacle. Une avalanche de félicitations et de fleurs assaillent généreusement les vedettes. Il y a aussi des pleurs à profusion et des accolades.

- C'est beau Tom de voir ces échanges et de sentir l'émotion nous envahir.

- Oui, mais là aussi, il peut y avoir deux polarités.

- Que veux-tu dire?

- C'est une coutume de remettre des fleurs aux vedettes après la représentation.

- Ce n'est quand même pas tout le monde qui donne des fleurs par habitude ou par obligation.

- C'est vrai, mais l'intention n'est pas inscrite sur le bouquet que tu donnes.

- Et quand tu le reçois, y a-t-il aussi deux polarités?

- C'est la même chose. Tu peux le recevoir en appréciant l'intention derrière le geste ou encore l'entasser l'un sur l'autre par habitude ou par dépendance.

- Par dépendance?

- Qu'arrive-t-il si, à la sortie, une danseuse ne reçoit aucune fleur? Va-t-elle vivre l'abandon et le rejet? Dépend-elle de ces fleurs comme on dépend de cigarettes, d'alcool ou de drogue? Et si quelqu'un lui offrait autre chose que des fleurs pour témoigner de son encouragement? Cet autre présent serait-il apprécié à sa juste valeur ou automatiquement éliminé parce que ce ne sont pas des fleurs?

Tom fait une pause avant de continuer. Ce qui suit le touche plus profondément.

- Et si une autre personne arrive sans fleur, sans cadeau, la regarde droit dans les yeux et du plus profond de son coeur lui dit; "C'est beau, je te félicite, j'ai grandement apprécié le spectacle". Est-ce que les mots offerts par le coeur auraient autant de sens qu'un bouquet de fleurs acheté par obligation?

- Ça commence à se compliquer!

- C'est toujours agréable d'être reconnu par son entourage. On en a besoin comme on a besoin de manger. Il faut aussi être capable d'apprécier soi-même le travail que l'on a fait. Qu'il y ait des fleurs ou non!

- Il ne faut pas vivre dans l'attente des autres.

- Bravo, tu commences à comprendre un peu. Il ne te reste qu'à mettre ce principe en application.

- Quand tu me dis cela, j'ai l'impression que je suis très loin de réussir mon évaluation.

- Oublie ton évaluation si tu veux la réussir. Satisfaire un besoin d'être reconnu, c'est bien. Combler une dépendance, c'est malsain et c'est toujours à recommencer.

- Tom, tu as la faculté de percevoir tant de belles choses dans tous ces petits gestes qui forment notre quotidien. Tous ces gestes que, trop souvent, j'ai tendance à banaliser ou à faire par habitude. Tous ces petits événements qui me font vivre des émotions que je tente de cacher, de camoufler, d'enterrer.

- Pourquoi penses-tu que je suis ton accompagnateur?

CHAPITRE 8

Nous sortons de l'amphithéâtre. Je dirige la camionnette dans des détours qui nous ramènent à la maison. Tom continue sa réflexion.

- Notre côté créatif ou artistique, si tu préfères, a besoin d'être reconnu. Le besoin est là et tu n'as pas à le nier, à tourner en rond en attendant que les autres le satisfassent et encore moins à faire toutes sortes de courbettes dans l'espoir d'attirer l'attention.

- N'y a-t-il pas risque de s'enfler la tête ou de tomber dans la vantardise?

- Je ne te parle pas de t'élever en écrasant le voisin. Je te parle de prendre ta place, de t'exprimer et de profiter de la vie. C'est une question d'équilibre. Tu te respectes et tu respectes ton voisin.

- Ce n'est pas facile à accepter.

- Je sais. Accepter c'est changer et tu as peur du changement. Changer, c'est bouleverser ta routine et tes habitudes de vie. C'est oser prendre des risques.

J'arrête la camionnette pour faire le plein. Pendant ce temps, Tom regarde un babillard couvert d'annonces d'activités se produisant dans la région. Pendant que j'effectue le paiement, je le vois chercher sur une carte routière le meilleur chemin conduisant vers une autre destination mystérieuse. Il reprend le contrôle des directions à suivre. Il devient évident que le retour à la maison vient d'être remis à plus tard.

Nous sortons de la ville. Après avoir parcouru quelques petites routes sinueuses, nous apercevons quelques habitations formant un petit village. Je stationne le véhicule et je remarque plusieurs petites boutiques. L'artisanat québécois est à l'honneur. Est-ce que la seule vocation de ce petit village, c'est d'être un carrefour artistique?

Nous gravissons les marches d'un grand escalier de bois menant à une maison centenaire. Les planchers de bois franc ont travaillé sévèrement depuis leur installation. Ils craquent fortement sous chacun de nos pas.

C'est une grande maison où chacune des pièces a été vidée de ses meubles. Il y a des tableaux partout sur tous les murs. Une galerie d'art impressionnante par la qualité des artistes peintres sélectionnés.

- Remarque la différence avec le ballet. La danse est un travail d'équipe, tu reçois l'encouragement de tes compagnons de travail et de tes instructeurs. À la fin de la représentation, on t'applaudit, tu reçois des fleurs, on te saute au cou. Le besoin d'être reconnu peut être comblé assez aisément. Je vais te demander de faire une petite expérience. Choisis le tableau qui te plaît le plus.

- Celui-ci me touche profondément. Quand je le regarde, j'ai l'impression d'être un petit enfant couché dans l'herbe haute qui regarde cette maison d'un autre siècle.

- Très belle aquarelle effectivement remplie d'émotions. Son titre est "Émouvant repos" et elle a été créée par Diane St-Georges, une artiste peintre très bien cotée. Regarde maintenant autour de toi. Observe la réaction des gens en rapport avec les toiles de Madame St-Georges.

- Tout le monde semble vraiment ému.

- Que se passerait-il si, à l'instant, Madame St-Georges entrait dans la pièce?

- Tout le monde irait l'accueillir, la féliciter.

- Un peu comme on accueille la danseuse de ballet après sa représentation mais avec les fleurs en moins, car personne ne s'attendait à voir l'artiste. Cependant l'artiste n'est pas présente dans la galerie. Elle est en train de travailler à son prochain tableau.

- Donc la reconnaissance du public ne peut pas lui être exprimée directement.

- Mais la reconnaissance est là, l'artiste peintre peut la sentir à sa façon.

- Tom, tu me donnes le goût de lui laisser une note de félicitations et d'encouragement. Je n'aurai pas la chance de lui dire de vive voix, mais au moins j'aurai trouvé le moyen d'exprimer toute l'émotion que me font vivre ses toiles.

Après avoir terminé ma visite et laissé ma note à l'attention de Diane St-Georges, nous retournons au véhicule.

La nuit a déjà assombri le décor. Les lumières tamisées donnent un sens différent à ce petit village.

Dans la camionnette, je vois les yeux de Tom contempler la rivière qui borde la route. Dans l'état méditatif dans lequel il est plongé, un petit sourire espiègle illumine son visage. Je dois m'attendre au pire maintenant. Il débute la conversation lentement, mais sûrement, comme un avocat qui cherche à vous coincer à la cour.

- Que remarques-tu dans les aquarelles de Diane St-Georges?

- Beaucoup de sensibilité, la capacité de s'émerveiller devant la nature et d'insuffler cette sensibilité à son oeuvre. En regardant le tableau, on ne peut faire autrement que d'être ému et touché par cette sensibilité artistique.

- Et si tu rencontrais l'artiste, comment l'imaginerais-tu?

- Curieuse, sensible une personne joyeuse aimant la vie.

- Quand je lis tes textes, qu'est-ce que je perçois?

- Je ne sais pas.

- Quand je lis tes textes, je sens une grande sensibilité, comme un petit enfant fragile qui s'émerveille devant la nature et qui, à partir d'un rien, en fait une belle poésie.

- Peut-être.

- Et si je te rencontrais, est-ce que je verrais cet enfant que j'imagine.

- Sûrement pas.

- Donc, quand tu es seul et que tu écris, tu te permets d'extérioriser une partie de toi que tu caches au monde entier.

- Peut-être.

- Ce que je vois présentement, c'est une belle armure métallique, la coquille de l'huître refermée, la carapace de la tortue.

- Sûrement.

- Pourquoi n'oses-tu pas présenter cette sensibilité en plein jour?

- Pour me protéger, je suppose.

- Pourquoi?

- Je suis trop sensible, trop fragile peut-être.

- Et si en rencontrant Diane St-Georges, tu ne rencontrais que son armure, le personnage qui camoufle son côté artistique, comment réagirais-tu?

- Je serais déçu.

- Pense maintenant à tous ces gens que tu croises tous les jours et que tu déçois parce que tu caches la plus belle partie de ta personnalité.

Les derniers commentaires de Tom m'ébranlent. Je ne suis vraiment plus en état de continuer cette conversation. Tom marque un point important. Je sens une boule dans ma gorge qui ne passe pas. J'ai trouvé un moyen pour exprimer, extérioriser ma souffrance et ma sensibilité: écrire. C'est déjà un pas énorme.

Je réalise que je suis seul dans une grande maison quand j'écris. Dès que je sors, je remets mon armure. J'évite de montrer ma sensibilité. Au fil de mes promenades et de mes découvertes, je me laisse émouvoir par ce que je vois. Pourtant, je garde cette émotion à l'intérieur de moi, incapable de la partager avec quelqu'un. Ce que je vis ne se retrouve que dans mes écrits. Ma vie se limitera-t-elle à quelques feuilles laissées en héritage?

Le soir venu, seul devant mes feuilles blanches, je revis ma journée, exprimant ce que j'aurais aimé dire, ce que j'aurais aimé faire. Finalement, la journée n'existe que pour me permettre d'écrire le soir. Le jour, je n'existe pas; je survis sous cette armure et le soir venu, je commence à vivre.

Une grande question existentielle remonte en moi. Est-ce que j'ai le courage de vivre pleinement mes journées? Pas seulement le soir ou le matin quand je suis seul. Je suis envahi par toutes sortes de peurs et de craintes qui font mijoter mes entrailles. Je réalise cependant que personne ne me connaît sous mon vrai jour.

Je me remémore les journées où, seul dans ma camionnette, je réussis à toucher à ma sensibilité. Je me souviens du nombre de fois où j'ai volontairement changé de route pour prendre plus de temps avant d'arriver à destination. Si j'arrive trop vite, je n'aurai pas le temps de remettre mon armure. Je ne me permets pas d'arriver comme je suis, avec les émotions qui m'habitent à l'instant. Si je ne me permets pas de partager ce que je vis, ce qui me fait vibrer, comment puis-je partager une intimité avec une autre personne?

CHAPITRE 9

Arrivés à la maison, nous reprenons nos places respectives, Tom dans son lit de camp et moi, dans mon grand lit duveteux. J'ai encore une grande déception sur le coeur.

- Tom, dors-tu?

- J'y étais presque.

- J'aimerais qu'on élabore sur l'armure que je porte.

- J'écoute.

- Qu'est-ce que je dois faire pour m'en débarrasser?

- Si je portais fièrement une belle grosse armure comme la tienne, je commencerais par éviter de poser ce genre de questions à mon voisin de chambre.

- Je ne saisis pas.

- La solution que je pourrais t'apporter n'est bonne que pour moi, pour ce que je vis, dans mon contexte.

- Si c'est bon pour toi, cela doit l'être pour moi aussi.

- Pas forcément. Ce que tu vis est différent de ce que je vis. Ton contexte l'est aussi. Ma solution n'est bonne que pour moi, aujourd'hui. L'année prochaine, même pour moi, elle ne sera peut-être plus bonne.

- Qu'est-ce que je fais avec ma question?

- Tu te la poses à toi-même. Tu es la seule personne qui possède les réponses à tes questions. Si tu te hasardes à écouter tous et chacun, le premier va te dire de tourner à gauche le deuxième à droite Tu n'en finiras plus.

- Ça ne serait pas plus simple si tu m'aidais un peu au lieu de toujours me ramener les questions que je te pose.

- Tu risques de dépendre de mes opinions. Tu vas appliquer bêtement une solution avec laquelle tu n'es peut-être pas à l'aise et si tu trébuches avec ma solution, tu vas être le premier à dire que je suis responsable de ton échec. Sois responsable de ta vie. Ne laisse pas les autres te gouverner.

- Un peu d'aide serait quand même bienvenue.

- La solution sera plus facile à appliquer quand tu auras trouvé celle qui te convient.

- Bonne nuit quand même.

- Toi de même.

J'ai de la difficulté à faire le vide. La question remonte sans cesse et m'empêche de m'endormir. Ce que je veux, c'est la solution. Si Tom m'avait répondu, il me semble que j'aurais trouvé le sommeil plus facilement.

Le sommeil est tout de même venu me chercher. Une autre nuit où des rêves bizarres viennent me hanter. Je sombre dans le noir. Je m'accroche à une paroi rocheuse. Je sens le vide sous mes pieds. Une tornade balaye le centre de ce gouffre. Je la sens me battre le dos.

Je glisse le long de ces roches. Tant bien que mal, je déploie toute l'énergie qu'il me reste pour remonter les quelques pouces perdus. Je ne veux pas lâcher prise. La peur du gouffre ou la peur d'être balayé par la tornade me pousse à m'agripper à la paroi.

Plus je glisse, plus je tente de remonter, et plus mon énergie baisse. Toute mon énergie ne me sert qu'à m'agripper à ce mur. J'ai besoin d'aide, je veux une solution à mon impasse.

Soudain, en haut du gouffre, je vois Tom se pencher vers moi et me regarder, sans broncher.

- Tom, aide-moi!

- La solution est à l'intérieur de toi.

À ce moment, je glisse, puis je tombe. Je descends au plus profond du gouffre. Après une longue descente, je touche finalement le fond. Je vois une échelle. Elle est tout près de moi. J'aurais pu la toucher à tout moment. Pourquoi m'entêter à vouloir remonter quand c'est le temps de plonger?

Le reste de la nuit se passe dans le calme et la sérénité.

CHAPITRE 10

Le lever se fait rapidement. Tom est à la cuisine. Son lit est déjà fait et ses choses sont toutes bien rangées. L'odeur du pain doré commence à réchauffer la chambre. Il y a belle lurette qu'on m'a préparé un petit déjeuner.

- Que me vaut tant d'honneur?

- J'ai rendez-vous ce matin. Je dois quitter tôt.

Durant la soirée, j'ai vu Tom faire un appel téléphonique. Cela m'avait intrigué mais j'ai oublié de lui en toucher un mot. C'est à ce moment qu'il a dû prendre son rendez-vous.

- Tu m'accompagnes ou je prends un taxi?

- J'aime trop être sur la route avec toi pour te laisser filer tout seul. Les imprévus et le hasard de tes rencontres me font vivre de belles choses.

- On part dans trente minutes.

La ville est encore endormie. Un long édredon de brouillard recouvre le fleuve. La camionnette quitte ce décor enchanteur pour se perdre dans l'anonymat d'une ville de ciment et de béton. Un trafic s'intensifiant nous rappelle que nous ne sommes pas les seuls au monde. Les feux de circulation nous imposent froidement leur autorité.

Entre deux commerces, une petite porte mène à un escalier. En haut de cet escalier, un grand bureau. Pas très luxueux, le strict minimum. L'équipement de bureau usagé est très dépareillé. Différents organismes communautaires s'y rencontrent. Une vocation d'entraide sociale est le point commun de tout ce qu'on y voit.

Les gens s'affairent à leurs petites choses urgentes. J'ai l'impression qu'ils sont à court de personnel ou à court de bénévoles. Une devise est inscrite au mur: "Quand on n'a pas l'équipement pour sortir son travail, ici, on apprend à s'en passer". Le travail s'exécute avec l'équipement du bord, beaucoup d'imagination et de créativité. Tom arrête devant un petit bureau et m'y fait entrer.

- Je te présente Marie-Claire Beaucage, rédactrice de la revue "Le Journal de la Rue".

- À vrai dire, je représente tout le personnel. J'ai des collaborateurs qui me donnent un coup de main de temps à autre. Tout est bénévole et je dois respecter les agendas chargés de chacun. J'accepte l'aide que l'on m'offre, mais malheureusement, elle est rarement continue. On n'a pas de budget. Il faut avancer avec beaucoup d'imagination.

- Et on parle de quoi dans cette revue?

- C'est un journal de sensibilisation pour les jeunes qui fuguent et qui sont touchés par différentes problématiques comme la drogue, la prostitution ou le suicide. Imprimé à cinq milles exemplaires, 6 fois par année, le Journal de la Rue est distribué directement aux jeunes sur la rue ou par l'intermédiaire des maisons d'intervention.

- C'est beaucoup de travail?

- Quand on n'a pas de budget, pas de commanditaires majeurs, c'est énorme! Le Journal de la Rue apporte de l'information, fait connaître les ressources disponibles pouvant aider et intervenir, et tente de créer un pont d'entraide entre le travailleur de rue et le jeune. On veut apporter des outils de travail, des contacts, un peu de soleil et d'espoir aux jeunes de la rue.

Pendant qu'elle continue à nous décrire tout le travail que cela implique et comment, seule, elle a développé cette idée, je regarde l'éclat de ses yeux. Celui que l'on retrouve dans les yeux de ceux qui s'expriment, qui prennent leur place et qui sont fiers de le faire, le regard des gens passionnés.

Après les salutations d'usage, en redescendant ce petit escalier, Tom reprend la conversation.

- Ce journal c'est son idée. Elle l'a développée et créée. Ce journal, c'est sa créativité à elle, son moyen d'expression.

- Comme le tableau de l'artiste peintre, le livre de l'écrivain ou l'instrument du musicien.

- Un journal aurait pu être un simple travail. Elle a décidé d'y insuffler sa passion, sa sensibilité et son amour. Dans tous les gestes que tu fais dans une journée, tu as le choix d'en faire un simple geste sans vie ou d'en faire quelque chose de créatif.

- C'est peut-être de cette façon qu'elle réussit à trouver toute l'énergie pour le rendre si vivant, si touchant.

- L'énergie du coeur et la sincérité sont sans limite. Une dynamique qui entraîne tout sur son passage.

- Ça me donne le goût de m'impliquer, de lui donner un coup de main.

- Rien de mieux que la participation pour être un citoyen à part entière.

- Tu m'autorises à la rappeler pour voir qu'est-ce que je pourrais faire pour le Journal de la Rue?

- Est-ce que tu as besoin de ma permission avant de faire quelque chose?

- C'est toi qui me l'as présentée, je n'oserais pas la contacter sans t'en parler.

- Les relations, les connaissances que nous avons peuvent être partagées. J'ai peut-être servi d'intermédiaire pour que tu la rencontre. Toutefois, ce n'est pas une raison pour contrôler votre relation et tout ce que vous pouvez vivre ensemble.

- Je veux m'assurer de ne pas te négliger ni d'être désobligeant envers toi.

- Fais-moi confiance, je suis assez grand pour m'occuper de moi.

CHAPITRE 11

Tom oriente intuitivement la camionnette vers un aréna. Aux guichets, on s'arrache les derniers billets disponibles. Des gardiens de sécurité tentent de refouler la centaine de malheureux qui n'ont pu se procurer de billets. Calmement, nous arrivons à l'arrière de cette triste scène. Je ne peux m'empêcher de lancer une remarque à Tom.

- Eh bien, cette fois ta surprise est à l'eau.

- La confiance règne, me répond-il avec son air moqueur.

Il me laisse et se faufile jusqu'au guichet. Il échange quelques mots avec la caissière et lui tend quelques billets de banque. Elle lui remet deux billets pour le spectacle.

- Comment as-tu fait?

- J'avais réservé hier, c'est simple.

- Et si je n'avais pas été intéressé à y aller?

- Ce n'est pas un problème. Il y a assez de gens intéressés à ce que je leur cède un billet.

- Petit malin, grognais-je.

Avec autant de gens insistant pour voir la représentation de patinage sur glace, je m'attends à un spectacle de qualité. On se fraye un chemin jusqu'à nos places.

L'éclairage s'atténue jusqu'à disparaître complètement. Dans cette nuit artificielle, la lune se lève dans un ciel noir. Cette lune dirige son reflet vers un des côtés de la patinoire. La porte s'ouvre doucement. Timidement, seuls deux patins bien astiqués sont visibles.

Les deux patins blancs prennent position au centre de la glace. La lune disparaît quelques instants. Quand elle revient, elle a changé de couleur. Son faisceau grandit pour nous faire découvrir le corps splendide de la patineuse.

Le vent d'une musique douce et mélancolique souffle sur le corps inerte. Doucement, elle se réveille. Elle s'élance dans la nuit, suivie de ce projecteur aux milles couleurs. D'une agilité remarquable, toute une série de mouvements défilent devant nos yeux émerveillés.

Lorsque la musique s'estompe, les deux patins reviennent au centre de la patinoire. Devant l'inertie des patins, la lune s'éteint. Une tempête d'applaudissements réchauffe la scène. Une pluie de roses rend la sortie de l'athlète difficile.

- C'est fantastique, n'est-ce pas Tom?

- Oui, je savais que tu apprécierais.

- Toute une performance, tous ces mouvements exécutés dans le noir, sans même frôler les bandes.

- C'est une question de connaître ses limites.

- Plutôt les limites de la patinoire.

- Non, tu as bien compris, question de connaître ses limites, car celles de la patinoire sont flexibles à volonté.

- Félicitations, tu m'as encore perdu.

- Tu vois, tout autour de la patinoire, il y a une bande qui la ceinture.

- Oui, c'est ce qui me fait dire que cette patinoire a des limites bien définies.

- Tu vois tous ces noms sur les affiches publicitaires qui apparaissent sur chacune de ces bandes?

- Évidemment.

- Remplace ces appellations par le nom des émotions que tu connais et positionne-les à ton goût, selon ton humeur.

Je ferme les yeux. Je visualise toutes ces bandes qui attendent que je les baptise. Dans un coin de la patinoire, j'y inscris "Amour" là où les mises en échec sont les plus rudes, là où je perds la rondelle. Derrière le but adverse "Tendresse", le but à atteindre. Derrière ma zone des buts "Sensibilité", ce que je dois protéger. Je fais tout le tour de la patinoire ainsi avec "Affection", "Sexualité"...

- Maintenant, imagine que tu es au centre de cette patinoire. Tu vas déplacer les bandes en les approchant ou les éloignant de toi. C'est la marge de manoeuvre dans laquelle tu te fais confiance par rapport à cette émotion, la distance que tu peux parcourir avec cette émotion tout en te sentant en sécurité. Moins tu as de complexes ou de frustrations par rapport à une émotion et plus cette bande sera éloignée, te laissant une plus grande liberté d'action.

- C'est ça connaître ses limites?

- Oui, c'est à l'intérieur de ces limites que tu exprimes ta liberté, ta joie de vivre.

- Et poser ses limites?

- C'est les définir à ton entourage.

- Et respecter ses limites.

- C'est rester en contact avec toute cette patinoire que tu possèdes en évitant de te perdre dans les estrades.

- Et faire respecter ses limites?

- C'est n'accepter que les personnes que tu veux bien laisser patiner sur ta glace, au moment où tu le désires, dans les conditions que tu es prêt à accepter. Ce n'est pas une séance de patinage libre où chacun peut entrer et sortir comme il le veut. Ta vie est un spectacle de patinage sur glace de haute qualité. C'est ton spectacle à toi, pas celui des autres.

Je ferme les yeux et je laisse mon imagination faire son travail. J'imagine ma patinoire, cet espace vital de la vie où je peux m'exprimer en toute sécurité. Tranquillement j'ouvre les yeux pour contempler ce monde qui devrait m'émerveiller.

- Tom! Les bandes sont tellement rapprochées. Je ne pourrai jamais patiner sur ce qu'il reste.

- Je vais avoir plus de travail à faire avec toi que je ne le pensais.

- J'ai l'impression d'étouffer là-dedans.

- Pas surprenant. Recommence l'exercice, mais au lieu d'être au centre de la patinoire, imagine la femme idéale.

Je referme honteusement les yeux sur cette triste réalité qui est mienne. J'efface tout. J'imagine cette femme parfaite, encore inconnue à ce jour. Sans savoir si elle peut même exister, je suis anxieux de connaître mes points communs avec cette douce créature.

Tranquillement, un peu effrayé par la réponse, j'ouvre les yeux. Tout le contraire de moi! Toutes les bandes s'effacent au loin en signe de respect pour cet ange.

- Ne t'inquiète pas si tu imagines la femme idéale comme le contraire de toi. Tu étouffes tellement sur ta patinoire que tu n'oses pas faire de compromis. Tu lui demandes d'être parfaite. C'est un signe de profondes cicatrices encore très douloureuses.

- Je suis quand même déçu. Je m'attendais à mieux que cela de moi.

- Maintenant tu la vois évoluer dans tout cet espace qu'elle s'est donnée avec le temps. Apprécie la souplesse de chaque manœuvre et la chaleur du spectacle. Elle peut même tomber sur cette glace et se relever calmement avec son beau grand sourire. Elle n'en fera pas un drame ses complexes sont derrière les bandes!

- C'est vrai que toute cette aisance est sécurisante. Tom, tu devrais prendre le temps de me présenter cette femme.

- Ces bandes ne sont pas des barrières infranchissables. Ce sont des frontières entre le monde que l'on connaît, où l'on se sent en sécurité et un univers qu'il nous reste à découvrir. À n'importe quel moment elle peut s'arrêter, s'approcher d'une des bandes, l'enjamber et partir à la découverte d'un monde inconnu pour elle.

- Le risque de tomber hors de la glace est plus grand et le risque de se faire mal aussi!

- Exact, c'est le prix à payer pour agrandir la patinoire.

- Elle y sera moins gracieuse.

Nous avons continué d'admirer ce spectacle imaginaire. Cette femme parfaite, avec un sourire chaleureux, évoluant en toute sécurité sur la glace. La satisfaction de chacun des besoins se retrouve à l'intérieur de cette glace. Pas surprenant que je sois un insatisfait chronique avec mes bandes étouffantes. Ses frustrations et complexes sont si loin par rapport aux miens. La connaissance de ses limites lui permet d'évoluer au gré de son état d'âme, de ses fantaisies, d'une bande à l'autre. Moi, il ne me reste qu'à tourner en rond entre mes bandes.

Quand j'imagine toute cette liberté d'expression et que je pense à la mienne qui ressemble plus à un cube de glace qu'à une patinoire, je suis découragé de voir la différence entre les deux. J'ai tendance à placer cette femme idéale sur un piédestal. Les bandes sont tellement près de moi que je les sens coller à mon corps, comme une armure; celles que je ne réussis pas encore à laisser au vestiaire. Sans cette armure, je me sens si fragile, si vulnérable.

C'est à moi de déterminer la grandeur de ma glace, la liberté d'action que je veux me donner. Suis-je prêt à payer le prix pour augmenter mon champ d'action?

CHAPITRE 12

Dans la campagne avoisinante, Tom me fait tourner dans toutes les directions. Je ne saurais retrouver mon chemin tellement nous tournons dans tous les sens. Tom cherche quelque chose de bien précis. Comme d'habitude, il me laisse dans l'ignorance, sans rien me dire, et je me contente de faire le chauffeur de taxi. Après un dernier détour apparaît une petite cabane, entre deux boisés.

- Nous y voilà, tu stationnes ici.

- Où m'amènes-tu maintenant?

- Tu te souviens de cette galerie d'art que nous avons visitée?

- Oui avec ses belles aquarelles et ses sculptures magnifiques.

- Ces sculptures, justement, sont créées ici, dans ce petit atelier.

En m'avançant vers l'atelier, je remarque qu'il n'y a qu'une porte, aucune fenêtre de façade, aucune couleur, aucun ornement, pas même d'adresse. Le chemin pour parvenir à cette porte ressemble à un sentier abandonné, sans aucun entretien. Les pentures de la porte sont rouillées. C'est à se demander s'il y a vraiment quelqu'un qui y travaille. Tom cogne à la porte. La porte s'entrouvre pour laisser apparaître discrètement un jeune homme poussiéreux. Je laisse à Tom le soin de faire les présentations.

- Si vous voulez acheter des sculptures, il faut passer à la galerie d'art.

- Nous serions intéressés à vous regarder sculpter, sans vous déranger.

- Sans me questionner, sans fumer et sans parler!

- Aucun problème.

- Dès que vous en aurez assez vu, vous quittez et vous refermez la porte, sans prendre le temps de me saluer, pour éviter de me déranger une autre fois.

- Nous serons sages comme des images.

Le sculpteur semble sceptique que nous soyons capables de respecter ses consignes. Avec un peu d'hésitation, il nous fait signe d'entrer.

Nous le suivons dans l'atelier. Pendant que le sculpteur retourne à son travail, je m'assieds sur un petit tabouret.

J'examine le décor. Un petit atelier très poussiéreux, des morceaux de pierre éparpillés un peu partout sur le sol. À part sculpter, il n'y a pas grand chose d'autre que l'on puisse faire dans cet atelier.

La table de travail est l'élément central de l'atelier. Tout est disposé en fonction de cette table. Toutes sortes de ciseaux, de différentes grosseurs et de formes sont disposés soigneusement en rangées à gauche de la table de travail. Il y a un ordre évident que je ne saisis pas encore. Seul ce sculpteur peut s'y retrouver. Sans même regarder, il dépose un couteau et en reprend un autre. Ses yeux ne quittent pas son oeuvre d'une seconde. Différentes limes se retrouvent à droite.

Dans la pièce, tout est terne et poussiéreux. Face au sculpteur, sur le mur opposé à la route, une grande fenêtre panoramique. La fenêtre ouvre sur les champs. J'y vois des arbres, des fleurs et un ruisseau. La nature s'anime devant le sculpteur. La lumière du soleil pénètre la pièce par cette grande ouverture. Avec toute la poussière en suspension, on peut voir des faisceaux de lumière. Cela donne l'impression que l'inspiration s'amène directement du ciel.

En continuant de fixer la pierre qui deviendra une sculpture, de temps à autre, le sculpteur referme doucement les yeux. C'est comme s'il comparait ce qu'il fait, à sa vision de ce qu'il veut créer. Avec un sourire de satisfaction, il reprend son travail.

Sans faire de bruit, Tom se lève et me fait signe de le suivre. Nous nous dirigeons vers la porte, comme convenu, sans interrompre le travail de l'artiste. Soudain, le sculpteur arrête son travail et interpelle Tom.

- Je sais que je vous ai demandé de quitter sans m'interrompre. Je suis surpris que vous l'ayez fait. Puisque vous avez respecté mes demandes, cela me donne confiance en vous. Si vous avez des questions, je peux y répondre.

- Vous semblez vouloir vous cacher un peu, vous n'aimez pas la visite d'étrangers?

- C'est vrai, et ceci afin de respecter mes limites. J'ai déjà eu un atelier où tout le monde venait me voir travailler, me poser des questions et m'acheter des sculptures. Parler argent quand on regarde mes sculptures fait partie de mes faiblesses. Quand on marchande avec moi le coût de mes oeuvres, mes prix fondent comme un cube de glace au soleil. Je vais jusqu'à donner ma sculpture. Une mère voulait faire un cadeau à son enfant malade à l'hôpital.

- Je suppose que vous avez rencontré beaucoup de gens, vous avez laissé aller vos sculptures pour une bouchée de pain et vous n'avez possiblement pas eu le temps de faire d'autres créations.

- J'étais sans le sou pour payer le loyer. J'aime développer mon côté artistique et pratiquer mon art avec passion. Ce que je fais est beau, j'y mets toute mon âme! Mais je n'aime pas mélanger mon art avec l'argent. J'ai l'impression d'entacher la pureté de mon oeuvre.

- Qu'avez-vous fait?

- J'ai décidé de me protéger. Je me concentre sur ce que j'aime: créer des sculptures. Ma femme adore le produit final et sa force, c'est-à-dire ce qu'elle aime le plus, c'est de se promener d'une galerie à l'autre afin de montrer aux gens mes sculptures. Elle réussit à intéresser les gens qu'elle rencontre et à donner une valeur marchande à mes oeuvres.

- Ainsi, chacun mise sur ses propres forces, là où vous il se sent en confiance, en sécurité, heureux et créatif.

- Parfaitement, et nous respectons chacune de nos limites. Si un client vient me voir pour acheter une sculpture, je le réfère aux différentes galeries avec lesquelles travaille ma femme. En échange, elle me respecte dans mon

atelier. Elle a une sainte horreur de la poussière et du désordre. Pour elle, mon atelier, c'est l'enfer! Mon atelier est
donc à l'extérieur de la maison. Elle n'y fait pas le ménage
et n'y déplace rien.

- Vous n'êtes jamais ensemble alors?

- Au contraire. Depuis que nous avons clairement établi
nos champs d'intérêts respectifs, nous n'avons jamais été
aussi près l'un de l'autre. À la fin de la journée, je change
de vêtements et je la rejoins à la maison, avec mes nouvelles créations. Elle m'y rejoint dans le salon.

- Ce salon représente un endroit pour vous rejoindre, un
lieu commun entre vos territoires respectifs.

- Nous avons en commun l'intérêt pour mes sculptures, un
monde où nous nous retrouvons sans subir les contraintes de l'autre. On reste assis des heures durant à contempler les sculptures et à philosopher autour d'elles. Elle ne
regarde pas d'où proviennent ces sculptures et moi je ne
regarde pas où elles vont. Nous nous retrouvons dans l'intimité de cet instant présent avec ce même amour pour
mes oeuvres.

Nous prenons congé du sculpteur. Nous l'avons chaude-
ment remercié pour toutes ces belles choses qu'il a partagées avec nous. Je profite du voyage de retour pour questionner Tom.

- Pourquoi y a-t-il tant de similitudes dans les fenêtres des
ateliers de travail des artistes? Grandes, près de leurs tables de travail, avec vue sur la nature, perdus dans le bois?
On dirait qu'ils sont tous coupés du reste du monde.

- Vois cette fenêtre panoramique comme leur ouverture
d'esprit face à la nature et à l'univers. La nature est très

importante. Ces artistes te semblent coupés du reste du monde, moi j'ai l'impression qu'ils sont plus en contact avec notre univers que n'importe qui d'autre.

- J'ai été touché par la beauté de la relation entre le sculpteur et sa conjointe. Cela m'aide à comprendre ta théorie sur les patinoires. Chacun respecte les limites de l'autre et les accepte. Chacun évolue gracieusement sur sa patinoire avec beaucoup de bonheur et de sérénité. Le plus touchant, c'est ce petit coin, juste à eux, où ils partagent leur intimité. Ils s'y retrouvent comme deux petits enfants émerveillés.

- Maintenant nous allons faire un petit exercice. Imagine que tu es dans la peau de sa femme et que tu entres dans son atelier. Décris-moi ce que tu pourrais ressentir.

- L'enfer total! Tout est sale, mal rangé. Et cet homme qui se dit mon mari, qui salit tout et qui pourrait faire autre chose que du bruit avec son marteau...

- C'est bien. Maintenant, prends la place du sculpteur en train de travailler son chef-d'oeuvre.

- Ma sensibilité voyage à travers le faisceau de lumière. Je suis dans cette forêt je suis dans l'atelier je ne sais plus. Je vois la sculpture terminée. Je vois la pierre à façonner. Je me vois créer et donner vie à la pierre. J'ai l'impression d'être Dieu devant l'homme au début de la création.

- C'est bien. Maintenant, je vais compliquer un peu l'exercice. Prends le temps de bien faire le vide. Prends la place de la pierre.

- J'ai peur, je me sens si fragile, la vie qui me tape dessus sans cesse. Tous ces morceaux de moi qui volent en éclats à chaque expérience de vie. Je tente de les rattraper et de les recoller. On tient à me démolir. C'est injuste.

- Le même geste, la même intention vues sous trois angles différents. En toute chose, tout est relatif au regard que tu portes sur l'objet, la personne. Accepte l'autre tel qu'il est, avec sa différence, aménage des espaces en fonction des relations que tu as avec les autres et que tu veux développer.

- Ce qui est beau et créatif pour moi peut être un enfer pour un autre.

- Et c'est là qu'il est important de bien définir ce que l'on veut vivre et comment on veut le vivre.

- Sinon les retrouvailles dans ce petit coin intime deviennent impossibles.

- À vouloir offrir son paradis à l'autre on peut, par mégarde, lui donner son enfer.

CHAPITRE 13

Cette journée m'a profondément touché. Plusieurs éléments de réflexion m'ont été présentés par Tom. Par-dessus tout, ces nouvelles expériences ne sont pas que pure théorie, vaines et lointaines. J'ai pu les sentir et les comprendre.

Je réalise aussi que la théorie des patinoires existe sur un autre plan: l'amitié. Si un ami m'invitait à la chasse ou à la pêche et que pour moi, tuer un animal est un sacrilège, je ne me gênerais pas pour décliner l'offre. Nous ne serions pas en mauvais termes pour autant.

On se retrouverait plus tard autour d'une table de billard, lui me racontant son week-end de chasse, moi mon expédition en canot. Cette table de billard serait notre coin d'intimité pour nous retrouver et parler de nos expériences. Le respect de nos différences enrichirait notre amitié. Chacun évoluerait librement, sans contrainte, sur sa patinoire.

C'est là que j'échouais si souvent dans mes relations amoureuses. Je tentais, pour ma partenaire et moi, de tout vivre sur une seule patinoire. Un mauvais compromis ne correspondant ni à l'un, ni à l'autre. J'avais supposé que nous pouvions nous y retrouver et que nous devions forcément y être heureux. Cette patinoire devenait vite un enfer pour les deux. J'avais fait abstraction de ce que nous étions, de nos différences. Avec les années, la glace finissait par se dessécher, craquer et se rompre. J'ai souffert en tentant de rester sur une patinoire qui ne correspondait pas à nos besoins respectifs. Je me suis retrouvé seul si souvent.

Pour m'en sortir, Tom me propose un remède qui semble si facile à appliquer: prendre le temps d'échanger sur son vécu, reconnaître et accepter les différences. Le même respect qui existe avec mes amis, lorsque l'on se retrouve autour d'une table de billard. Si c'est aussi simple, pourquoi m'a-t-on laissé souffrir si longtemps avant de me le dire? Pourquoi personne n'est-il venu à ma rescousse?

Pourquoi tout devient-il si compliqué quand je change le mot amitié pour le mot amour? Et que dire des ruptures? Pourquoi est-ce que j'accepte plus facilement la fin d'une amitié que la fin d'une relation amoureuse? Pourquoi la fin d'une relation amoureuse devient-elle un échec, un drame, un traumatisme, la fin du monde? Quand on me quitte et qu'on me laisse seul sur cette patinoire que je voulais pour deux, j'ai l'impression de perdre mon identité et tout ce que je possède. Je deviens un vagabond qui se cherche une autre patinoire.

Devant tant de questions, je ne peux que spéculer. Peut-être que l'expérience d'avoir des amis remonte à plus loin. À chaque déménagement et transfert d'école, je les voyais apparaître et disparaître de ma vie. À quinze ans, j'avais eu beaucoup d'amis, mais peu de relations amoureuses.

L'éducation que j'ai reçue a sûrement créé plus de contraintes dans mes relations amoureuses. L'amitié s'apprend plus naturellement, les relations amoureuses ont été entourées d'un plus grand secret. Et que dire de la société avec ses règles imposées sur le mariage, la religion, de toute cette série de principes stricts?

À l'intérieur de mes relations d'amitié, j'ai appris à évoluer à mon rythme. J'ai été respecté dans ma liberté d'apprentissage. Avec toutes les règles et les normes que je me suis laissé imposer dès le départ dans mes relations amoureuses, il ne me reste plus beaucoup d'espace pour expérimenter. J'ai eu tendance à vivre en fonction des normes des autres et non en fonction des miennes.

C'est vrai que je suis tombé amoureux très jeune trop jeune peut-être. À huit ans, j'avais rencontré une jolie jeune demoiselle de mon âge. Nous voulions nous marier. Cela a fait scandale auprès de nos parents respectifs. Sans que l'on ne m'explique pourquoi, on m'a dit que j'étais trop jeune pour aimer, que ce n'était pas correct.

Cela a créé une confusion terrible. Qu'est-ce qui devenait correct et qu'est-ce qui ne l'était pas? Dans mes tripes, j'étais amoureux. L'autorité me disait que ce n'était pas cela l'amour. Alors si ce que je ressentais en dedans de moi n'était pas correct, c'était quoi l'amour? Avec mes amis, on m'avait laissé expérimenter et définir ce que pouvait être l'amitié. Avec une relation amoureuse, j'ai fait peur aux autres. Je n'ai pas pu expérimenter, je me suis conformé aux règles à suivre. Je pouvais bien perdre du temps à chercher une patinoire qui ne m'appartenait pas!

Comment puis-je faire maintenant pour décider si une amitié ou une relation amoureuse est saine pour moi? La réponse vient de ma compréhension de la relation. Est-ce que je réussis à y évoluer ou est-ce que je n'y fais que survivre pour passer le temps? Est-ce que ma relation me propulse en avant? Ai-je l'impression de grandir à chaque jour? Est-ce que malgré tous les inconvénients ou intempéries que m'offre la vie, je sens une confiance réciproque qui augmente d'une journée à l'autre? Si je peux répondre oui à ces questions, je suis sûrement dans la bonne direction.

Est-ce que je me sens comme une fleur qui fane de plus en plus à chaque jour? Est-ce que je me rends de plus en plus malade pour sauvegarder la relation? Est-ce que je sens mon énergie baisser à tous les jours? Si je réponds oui à l'une de ces questions, il est temps de m'arrêter et de faire le point. C'est l'heure du face à face avec moi-même d'une part et ensuite, avec ma partenaire. C'est l'heure du questionnement, l'heure de la réconciliation avec moi-même, mes principes et mes valeurs.

Avant de rentrer à la maison, Tom et moi décidons de marcher le long du fleuve. Est-ce pour faire le plein ou faire le vide? Qui sait? Est-ce une façon de faire la synthèse de la journée, se préparer à celle du lendemain ou encore pour apprécier cette subtile frontière, cette transition entre le début et la fin?

- Tom, tu m'as apporté une nouvelle façon de voir les choses.

- J'ai juste écarté tes verres fumés.

Cette réponse s'accompagne de son petit air moqueur, un petit sourire en coin avec des yeux espiègles. J'ai l'impression qu'il connaît à l'avance toutes mes questions. Une chose est certaine, il en connaît toutes les réponses. Le plus frustrant, c'est qu'il a un plaisir sadique à ne pas me les donner. Est-ce une façon, pour lui, de me laisser mijoter un peu plus pour m'attendrir ou pour me laisser découvrir, par moi-même, la réponse? Chose certaine, Tom respecte mon rythme d'apprentissage.

- Tom, je suis un homme de principes, de valeurs. En enlevant mon armure, je m'attendais à laisser, dans le fond de mon placard, tous ces principes épinglés à l'armure. En recommençant à zéro, je pensais n'avoir qu'à y cueillir toute une série de nouveaux principes tout frais, un peu comme un enfant cueille un bouquet de fleurs.

- Si ces principes ne sont pas restés avec l'armure, c'est peut-être parce qu'ils t'appartiennent.

- J'aimerais bien prendre le temps de les réviser pour les adapter à la réalité.

- Ces principes sont ta réalité.

- Ma réalité, comme tu dis, n'est peut-être pas conforme à certains standards.

- Les standards de qui? Te conformer à quoi?

- Justement, je ne sais pas. Je m'attendais à ce que tu m'orientes.

- Écoute, je suis un accompagnateur, pas un orienteur. Tu n'as pas à t'imposer des normes ou des standards extérieurs à toi. Accepte ta réalité. Elle est tienne et fait partie de toi.

- Certains de mes principes me semblent démodés, d'autres peut-être trop avant-gardistes.

- Accepte de commencer à vivre ta réalité par rapport à toi-même et quand tu auras terminé, d'ici quelques centaines d'années, peut-être pourras-tu passer à une autre étape.

- Tu veux dire que toutes mes idées et tous mes principes sont acceptables, en autant qu'ils représentent ma réalité d'aujourd'hui?

- Tant que tu te respectes et que tu respectes ton entourage, c'est acceptable.

- Tant de simplicité, c'est décevant. Moi qui cherche toujours à tout compliquer, à devoir me battre pour changer à tout prix le monde.

Tom demeure silencieux pendant quelques instants. Je brise timidement ce silence.

- Tom, je suis heureux de ce bout de chemin avec toi. Je suis satisfait des pas que tu m'as permis de faire. Il en reste encore à faire. C'est rassurant de voir un peu plus où l'on va.

- C'est la fin de ma première visite.

- La première? Il y en aura d'autres?

- Oui.

- Quand?

- Je ne peux pas te le dire, ça dépend de toi.

- Comment ça, ça dépend de moi?

- Tu dois t'approprier ce que tu viens d'apprendre, expérimenter et jouer le grand jeu de la vie. Tout se passe dans l'action, pas à rester là à te regarder sécher le nombril.

- Comment saurais-je si je suis prêt pour ta deuxième visite?

- Ne t'inquiète pas, je te retrouverai quand tu seras prêt. Fais confiance à la vie.

Durant la nuit, Tom a disparu. Il a plié son lit de camp et tout rangé à mon insu. Je commence à peine à m'attacher à lui et voilà qu'il m'abandonne. Avec rage, je me demande si, à ces yeux, je ne vaux pas plus que le rapport d'accompagnement qu'il aura à remettre à ses superviseurs? Je suis surpris de ce que je peux vivre à travers son départ. Un sentiment similaire aux différentes ruptures amoureuses. Un grand vide m'envahit comme si je venais de perdre un gros morceau. L'intimité vécue avec Tom me rapproche de ce que je suis, de mes sentiments réels. Elle est synonyme de la vie qui coule en moi. Avec le départ de Tom, est-ce qu'une partie de moi mourra?

J'ai appelé au centre pour lui parler et lui laisser un message. La secrétaire s'est contentée de me dire:

- Quand vous serez prêt, il vous retrouvera. Ne vous inquiétez pas et faites confiance à la vie. Entre-temps, je ne peux laisser aucun message à Tom.

CHAPITRE 14

Un an déjà depuis le départ de Tom. Plusieurs appels au Centre et toujours la même réponse. J'ai dû couler mon évaluation et personne n'a le courage de me le dire.

Six heures du matin, un ciel bleu et calme. Le soleil manifeste sa force et sa toute-puissance. Les oiseaux chantent déjà et font leur ronde dans le ciel. Les oisillons virevoltent dans le ciel comme les fleurs dansent dans les champs...

- Monsieur fait de la poésie ce matin?

Surpris et ne sachant quoi répondre, je réponds bêtement:

- Salut, Tom.

L'arrivée de Tom, lors cet élan poétique matinal, me coupe les moyens. Comment avoir la tête à la poésie et à la contemplation de la nature avec un drôle de moineau comme lui à ses côtés?

- Quand tu écris que les oiseaux tournent en rond dans le ciel, est-ce que tu fais de la projection?

- Tom, tu n'aurais pas le goût d'un café avant de commencer cette journée? Je ne m'attendais même plus à te revoir un jour.

- Est-ce que ma remarque te dérange au point que tu veuilles t'esquiver et te cacher derrière un café?

- J'ai juste l'impression que tu te moques de moi en supposant que je tourne en rond comme ces oiseaux. Je suis bien assis sur ma chaise et je suis en train de peindre avec des mots ce spectacle matinal.

- Oh la la! Que de grands mots ce matin! Tu réagis fortement à ma question.

- Je n'ai pas le goût de commencer si rapidement à me faire questionner, analyser ou évaluer.

- N'oublie pas que j'ai quand même un rapport à remettre de mon accompagnement. C'est mon rôle de faire tout cela.

- Même à six heures le matin et après un an d'absence!

- Je ne te chargerai pas les heures supplémentaires.

- Ça ne t'arrive pas d'être là, sans jouer au thérapeute? De commencer par saluer les gens que tu n'as pas vus depuis un an?

- Tu as le droit de ne pas répondre à mes questions. Rien ne t'y oblige. Cependant, j'aurais préféré que tu me le dises franchement au lieu de tourner autour de la question pour l'éviter. Quand tu n'es pas clair dès le départ, tu risques de te frustrer et j'écoperai de ta mauvaise humeur.

Cette dernière remarque me laisse bouche bée et touche ma sensibilité. Je me revois dans tous les petits détails que je n'ose exprimer clairement et que je refoule à l'intérieur. La façon dont tout cela me fait tourner en rond me permet d'éviter d'affronter directement les gens.

Je me sers un café avant de revenir à la table pour faire face à Tom. Essoufflé et désarmé, je regarde Tom dans les yeux pour lui répondre.

- Non, Tom, je n'ai pas l'impression de tourner en rond comme les oiseaux dans le ciel.

Face à mon affirmation si solennelle, Tom se met à rire. Un rire à gorge déployée qui me paraît durer une éternité! Tom termine doucement son rire qui m'est si familier. Face à ma stupéfaction, il enchaîne.

- Je vais faire abstraction de tout le chemin circulaire parcouru pour ne pas entendre ma question puisque, finalement, au bout du compte, tu y fais face.

Intérieurement, je me dis que le chemin circulaire dont Tom parle est une façon polie d'affirmer que je tourne en rond.

- Ce que je remarque, c'est que le matin, tu te lèves et te retrouves sur cette chaise devant la fenêtre. Tu te promènes toute la journée. Le soir venu, tu te réinstalles sur ta chaise devant ta fenêtre. Tu te couches et tu recommences le même scénario le lendemain matin.

- C'est ce qui te fait dire que je tourne en rond soir et matin, assis dans ma chaise, face à ma grande fenêtre?

- Attention, je ne dis pas que tu tournes en rond. Je vérifie seulement, je te le demande. La seule personne qui peut vraiment le savoir, c'est toi et toi seul.

- En es-tu certain?

- Le même geste peut être contemplatif, méditatif, un instant de réflexion et de ressourcement. Mais il peut aussi être une façon de tourner en rond autour d'un vide intérieur, d'une angoisse. Vu de l'extérieur, le geste est le même. Ce qui est important de regarder, c'est l'intention que tu lui donnes.

Je reviens donc à la fameuse question de Tom et je regarde dans quel état d'âme je suis soir et matin lorsque je me retrouve sur ma chaise face à ma grande fenêtre.

- Tom, je ne tourne pas en rond quand je me retrouve contemplatif devant cette fenêtre matin et soir. Au contraire, c'est là que je me retrouve vraiment face à moi-même. Cependant, là où j'ai l'impression de tourner en rond, c'est entre ces deux instants de ressourcement.

- Est-ce que tu veux dire que tu tournes en rond entre l'instant du matin et celui du soir ou l'inverse, entre celui du soir et celui du matin?

Un peu gêné de la réponse que je fournis, timidement, d'une voix à peine audible, j'enchaîne.

- À vrai dire, c'est les deux. La nuit, je tourne en rond dans mon lit et je n'ai pas un vrai sommeil réparateur. Le jour, je tourne en rond avec les gens que je rencontre.

Tom en a le souffle coupé. Il n'ose même pas soulever un commentaire. Il partait avec l'hypothèse que je tournais en rond deux heures par jour, c'est-à-dire lors des deux instants quotidiens que je m'accordais devant la fenêtre. Et voilà que je lui dis tourner en rond tout le reste de la journée!

Je comprends maintenant tout le sens à accorder à la réflexion de Tom: ne jamais laisser personne interpréter le sens de mes faits et gestes. Les apparences peuvent être trompeuses. C'est la même chose pour la créativité. La seule personne qui peut découvrir le vrai sens de mon texte, de mon dessin, c'est moi.

Ma réalité, c'est cette détresse qui m'habite tout au long des jours, sauf pour quelques heures de paix. Avouer cette angoisse à Tom me demande de marcher sur mon orgueil, une des barrières que j'ai érigées entre moi et les autres. C'est tout un exercice d'humilité.

Tom me regarde avec beaucoup de compassion. Il met sa main sur mon épaule et me demande.

- Est-ce que tu aimerais que je t'accompagne dans tes déplacements des prochains jours?

- Oui j'apprécierais. Tu me permettrais peut-être de mieux me comprendre.

Cette dernière phrase tourne drôlement dans ma tête. Tom représente pour moi cette grande fenêtre, cette ouverture sur le monde. Au lieu d'attendre le soir venu pour réviser ma journée, la présence de Tom me permet de voir l'instant présent, dans le feu de l'action, au moment même où je me perds ou dès que je vis quelque chose.

Quand Tom marche à mes côtés, j'ai l'impression de me promener avec ma grande fenêtre sous le bras. À tout instant je peux m'arrêter, installer cette ouverture sur le monde et analyser la situation, m'analyser. Une façon d'apprendre à respirer par le nez quand je m'essouffle dans le quotidien de ma vie. Et dire que c'est lui qui est supposé m'évaluer alors qu'il m'aide à faire ma propre évaluation!

Tout en servant un café à Tom, je m'en sers un deuxième. Question de me réveiller un peu plus, être d'attaque pour bien répondre à Tom, prévoir les coups, ne pas faire trop d'erreurs dans cette journée qui s'amorce avec Tom à mes côtés.

- Monsieur se met sur la défensive?

- Pourquoi? Parce que je te sers un café?

- Non. Parce que les poils de tes bras se tendent comme les piquants d'un hérisson sur la défensive.

- Tu as remarqué que je suis un peu nerveux?

- C'est plus que de la nervosité, le stress va te faire faire un arrêt cardiaque!

- J'ai peur de faire des gaffes.

- Rassure-toi, tu n'en serais sûrement pas à tes premières.

- Justement, c'était facile pour moi d'accepter la situation lors de ta première visite. Je me sentais tellement perdu que je n'avais plus rien à perdre de toute façon.

- Et aujourd'hui tu te sens différent?

- Avec tout ce que j'ai appris avec toi, ajouté à l'année que je viens de passer à mieux me préparer et à commencer à être moi-même! Je suis un peu gêné d'être encore là à tourner en rond. J'aimerais pouvoir te montrer que je réussis à maîtriser une partie de ton enseignement et que je ne suis pas si nul que cela.

Tom reste songeur devant tout ce que j'ai réussi à dire en si peu de mots. J'ai l'impression que le plafond descend de deux pieds, que tous les murs se sont rapprochés de moi et qu'il n'y a plus de fenêtre. Je suis figé dans un silence complet. Calmement, Tom enchaîne et brise mon isolement.

- Dans ce que tu viens de dire, il y a beaucoup de belles choses à méditer. J'aimerais suggérer qu'aujourd'hui, nous ne sortions pas. On pourrait s'installer sur le balcon et passer la journée à examiner ce que tu viens de dire.

Je suis envahi par la déception, une gêne qui frôle la honte. Je ne suis même pas prêt pour commencer la journée avec Tom. Déjà il m'arrête et prévoit prendre la journée pour travailler deux petites phrases. Je sens que j'ai rétrogradé à un point tel que j'en deviens méconnaissable.

Hésitant, je prépare le balcon. J'y installe des chaises et sors une petite table pour nos cafés. Tout en regardant ce magnifique ciel bleu, Tom rompt, encore une fois, mon mur de silence fait d'anxiété.

- Je voudrais commencer par te féliciter pour ce que tu as dit...

Juste à entendre cette phrase, j'ai l'impression que le ciel se remplit de nuages gris prêts à me foudroyer. Comment peut-il me féliciter quand je me sens si peu avancé dans mon apprentissage? Je dois me préparer à me faire chauffer les oreilles. Il doit y avoir un piège. Pourtant, il n'a pas l'air de se moquer, il est si sérieux dans ce qu'il dit.

- Je veux te féliciter parce que tu as réussi à me dire exactement comment tu te sens sans prendre de détour.

- Avouer ma nullité ne fait qu'augmenter la longueur du chemin qu'il me reste encore à parcourir. Ce n'est pas très valorisant de se sentir si gauche. Je n'ai pas avancé, j'ai reculé.

- Le but premier de ton cheminement, de tes expériences n'est pas la recherche de la perfection, c'est la prise de conscience de tes imperfections.

Prendre conscience de mes imperfections. Ces mots résonnent dans ma tête comme une série de cloches tibétaines. Je me revois dans différents ateliers de croissance personnelle. J'ai essayé d'atteindre un état d'âme ou un état d'être. Les promesses des différents instructeurs devenaient le manteau du mieux-être. J'ai essayé de m'y conformer de la même façon que j'avais déjà enfilé une armure. Et lorsque ce manteau du mieux-être ne m'allait pas à la perfection, j'essayais de me changer ou de me contorsionner pour y entrer quand même.

Pourtant je n'ai pas à me changer pour rentrer dans un manteau. C'est à lui de s'adapter à moi. Je n'ai qu'à prendre les parties du manteau qui font mon affaire, qui collent à ma personnalité et à laisser le restant là, tout simplement.

Mon univers est très subtil. J'ai mis des années à me débarrasser d'une armure datant du Moyen-Âge. Maintenant que la vente d'armure est un peu démodée, on m'offre des manteaux pour un cheminement et une croissance, des manteaux représentant des états d'âme à atteindre. Toujours cette recherche de perfection.

Ces manteaux sont peut-être moins encombrants qu'une armure, mais ils n'en demeurent pas moins des déguisements qui ne peuvent servir qu'à me cacher ou à camoufler les imperfections que je n'ose accepter ni regarder.

Tout cela me ramène à quelques phrases que j'ai déjà entendues. Tout n'est qu'illusion... Les marchands d'illusions... Les magiciens de l'illusion...

Ce qui est inquiétant, ce n'est pas ce qui m'est offert, c'est ce que je décide d'acheter! Tout peut être bon et a sa raison d'être. Je prends ce qui m'intéresse dans ces dédales d'illusions. Chaque arrêt est une source d'inspiration. Toutefois, pour m'inspirer, je ne suis pas obligé de partir avec la source, pour autant.

Dans toutes ces techniques, il n'y en a pas une qui soit "La Vérité". Elles sont toutes vraies et toutes fausses en même temps. C'est à moi de découvrir, à l'intérieur de tout cela, le besoin qui corresponde à ce que je suis, afin que j'expérimente la vie sans me brûler.

Après ces réflexions, je suis prêt à entendre la suite préparée par Tom.

- Pour faciliter un peu notre travail, nous allons diviser les deux phrases que tu as dites. Répète-moi la première, s'il te plaît.

- Avec tout ce que j'ai appris avec toi, je suis un peu gêné d'être encore là à tourner en rond.

- Parce que tu as appris quelque chose de nouveau, tu t'attends à un changement instantané, à une guérison miraculeuse?

- C'est ce que j'espérais.

- L'apprentissage de tes émotions, c'est comme un oignon que tu veux éplucher et qui se trouve dans un sac de tomates.

- Ton image n'est pas claire.

- Lorsque tu prends conscience d'une difficulté, tu ne fais que sortir l'oignon de ton sac, il n'est pas pelé pour autant.

- Et qu'est-ce que je fais de mon oignon?

- Pour le peler, tu vas commencer par couper les extrémités.

- C'est comme mettre à vif une ancienne cicatrice.

- Tu déchires l'enveloppe qui empêche l'odeur de ton passé de revenir à toi.

- Moi qui pleure tout le temps quand je coupe un oignon!

- Ça peut être souffrant de laisser le passé remonter en soi. C'est là que le travail commence.

- Moi qui croyais avoir terminé!

- Chaque pelure que tu enlèves te permet de connaître de mieux en mieux ton fonctionnement.

- Et alors je serai guéri?

- Tu continueras encore à pleurer en coupant un oignon, mais au moins tu sauras pourquoi.

Je reste pensif sur cette dernière phrase. Je remarque qu'avec Tom, on n'est jamais guéri de quoi que ce soit. On demeure ce que l'on est, avec une prise de conscience de plus en plus subtile. Jamais de guérison? Cela en est presque frustrant. Tom reprend la parole.

- Pour la deuxième phrase, tu la répètes et à chaque fois que je lèverai la main, tu t'arrêteras. On y va!

- J'aimerais pouvoir te montrer...

- C'est là que tu vis beaucoup de frustration, d'insatisfaction et que tu tournes en rond. Au lieu de vouloir "me montrer", commence par vivre ta vie le plus naturellement possible. Quand tu y arriveras, je réussirai à te voir tel que tu es plutôt qu'à voir la performance d'un personnage dans une pièce de théâtre. J'aurai la chance d'être en relation avec toi.

Je prends un peu de temps avant de continuer. Question d'assimiler un peu ces commentaires. Il ne me ménage pas. Il y met l'intensité dont j'ai besoin pour l'entendre clairement.

- ...Que je réussis à maîtriser...

- Ça c'est ennuyant, mon ami. Tu veux tout maîtriser et t'approprier? C'est juste le contraire de ce qu'il faut faire dans la vie. Quand tu veux maîtriser les événements, tes mains se crispent. Apprends à respirer par le nez, les mains ouvertes et détendues.

- ...Une partie de ton enseignement...

- Je ne suis pas ici pour t'enseigner, mais plutôt pour t'aider à t'évaluer, à te confronter dans ta façon d'être et d'agir. N'oublie pas que tout ce que je te dis pourrait bien être faux. C'est à toi qu'incombe la responsabilité de trier ce qui est bon pour toi et ce qui ne l'est pas. N'oublie pas qu'il fut un temps où l'on enseignait que le soleil tournait autour de la Terre.

- ...Que je ne suis pas si nul que cela.

- Je ne t'ai jamais dit que tu étais nul. C'est la valeur du jugement que tu portes sur toi-même. En jugeant ton prochain, tu tentes de le rabaisser. En te jugeant, tu te rabaisses. Ça semble être difficile de se regarder, dans les yeux,

115

tous à la même hauteur.

Nous continuons à déguster notre café. À vrai dire, Tom déguste le sien, moi je digère cette avant-midi passée sur le balcon avec lui.

Je repense à son sac de tomates avec un oignon. J'ai l'impression que j'ai souvent pris une tomate pour un oignon. En essayant de peler ma tomate, vous pouvez imaginer le gâchis que j'ai créé.

Et dire que l'an dernier, j'ai réprimandé Tom pour quelques petites taches de sauce tomate sur une nappe.

À plusieurs reprises, les tasses de café sont vidées. Comme le ressac de la mer le long des parois rocheuses, ce café réussit à se frayer un chemin entre mes dents crispées par la nervosité. C'est encore Tom qui brise la glace.

- La nervosité vous démange mon ami?

- La peur de rentrer dans le vif du sujet.

- Et quel est ce sujet qui te préoccupe tant?

- Tous ces instants où j'ai l'impression de tourner en rond entre le lever et le coucher.

- As-tu réussi à identifier ton oignon?

Cette question de Tom me fait tomber par terre. J'avais incliné ma chaise sur deux pattes. C'est ce que je fais souvent quand je me retrouve devant une montagne insurmontable. Un rien me projette par terre.

L'arrivée impromptue de cet oignon dans la conversation m'a tout simplement fait perdre l'équilibre. Tom attend patiemment que je replace ma chaise et que je réponde à sa question.

- Mon oignon!

- Oui, ton oignon! Quand tu tournes en rond dans une journée, as-tu noté un point commun chez les personnes ou dans les évènements qui déclencheraient cette réaction chez toi?

- Ah! L'oignon. Oui, effectivement, tout tourne autour de la relation amoureuse.

- Et comment te définis-tu dans tes relations amoureuses?

- Je suis célibataire. Je suis comme le taureau qui a trop souvent été dans l'arène et qui veut prendre sa retraite. Finis les corridas et les toréadors! Les relations amoureuses amènent trop de blessures et de combats. Je suis célibataire et je suis formel sur ce point.

- C'est bien défini, parle-moi de ton oignon maintenant.

- Au Symposium de Jonquière, j'ai fait la rencontre de Katherine. Je trouvais que nous avions un point commun. Nous étions tous deux toujours sur la route. Cependant au Symposium de Shawinigan, j'ai appris qu'elle avait déjà un ami.

- J'admire ta capacité d'être célibataire.

- Auparavant, il y a eu Johanne. Elle est écrivain, tout comme moi. On aurait fait un couple super, mais l'attirance de base n'y était pas...

- Je suis ébranlé dans ta capacité au célibat.

- Il y a eu Sylvie, elle est libraire, une belle affinité pour un écrivain, cependant...

- Je commence à tomber des nues.

- Il y a Claire. Nous avons suivi pendant un an la même formation, ce qui a créé des liens mais...

- Je tombe des nues.

- J'oubliais, il y a eu Danny, elle est représentante dans les librairies, ce qui me portait à croire que...

- Je suis à ramasser à la petite cuillère.

- Ah oui! J'oubliais Sonia, elle étudiait comme intervenante dans la prévention du suicide comme moi, sauf que...

- Stop! Je t'arrête ici. Faisons le point.

- Attends, je ne t'ai pas parlé de Monique, Micheline, l'autre Sylvie! Attention, il y a eu quatre Sylvie au total, et ensuite ...

- UN INSTANT!

Tom se fâche un peu pour me ramener à la réalité. Je suis parti dans une féerie superbe et sans fin, presque un délire. Tom reprend d'un ton ferme.

- Et comment te définis-tu dans tes relations amoureuses?

- Comme un célibataire qui ne veut plus rien savoir des corridas et des morsures de serpents à sonnettes?

- Et quand tu me parles de toutes ces filles que tu as croisées, comment te définis-tu?

118

- Comme un jeune collégien qui ne cherche qu'à trouver un point commun avec une femme, pour compléter son cheminement.

- As-tu l'impression que ces deux réponses sont cohérentes ensemble?

- Je dirais que... je pense que...

Je continue à bégayer ainsi le restant de l'après-midi. Tom n'ose pas m'interrompre. Je dois tirer mes propres conclusions. Je prépare le souper en attendant de reprendre mes sens.

Un souper vite fait, vite mangé. Je me retrouve à la cuisine à ranger la vaisselle. Je nettoie le comptoir. Cela fait déjà trois fois que je le nettoie. J'étire le temps pour éviter de retourner voir Tom sur le balcon.

Tom se pointe le bout du nez à travers la moustiquaire et m'interpelle.

- Ça va, c'est propre. Tu peux revenir, je ne te mangerai pas. J'ai déjà mangé de toute façon.

Tranquillement, d'un pas hésitant et résigné, je traverse la moustiquaire (après l'avoir ouvert, évidemment). Déconcerté, je me réinstalle honteusement sur la chaise, à côté de Tom.

- Un célibataire endurci du style collégien à la recherche du grand amour.

- Tom! J'ai encore l'impression que tu te moques de moi.

- Je ne me moque pas de toi. C'est drôle et je n'ai pas le goût de m'empêcher de rire.

- Je ne vois pas vraiment la différence.

- L'intention! C'est l'intention du geste qui est important. Je peux me moquer de toi sans rire et je peux te supporter tout en riant.

- Difficile de saisir la différence.

- Pour l'instant, tu es tellement figé dans la peur que je ne me moque de toi, tu as tellement de difficulté à accepter ce que tu vis, que tu ne fais que rechercher le moindre indice qui confirmerait que je me moque de toi.

- Remarque que tu as quand même raison, c'est un peu rigolo mon histoire.

- Félicitations! Déjà un grand pas dans l'acceptation de ce que tu es. La vie n'est pas uniquement faite que de pleurs; tu peux en rire aussi, même quand ça va mal.

- Juste d'en rire, je vois déjà la situation moins dramatiquement.

- Et n'oublie pas que le rire est une très bonne gymnastique pour le corps humain. Ça élimine beaucoup de tensions et de toxines accumulées. Ça aide aussi à replacer la psyché à la bonne place.

- J'ai cependant l'impression que ce n'est pas toujours le cas.

- Tu as raison, je parle ici du rire qui vient du coeur. Le rire qui nourrit respectueusement la vie, qui sympathise avec celle-ci. Rien à voir avec le rire méprisant et malicieux. Encore moins avec celui qui cherche à fuir la réalité.

- Comme en toutes choses, on peut le déformer, lui donner une intention.

- Comme dans le rire moqueur, celui qui blesse, celui qui laisse un double message, le rire nerveux, le rire forcé et ainsi de suite...

Je joue le jeu avec Tom. Je me prête à une petite séance de rire. C'est fascinant la facilité avec laquelle je vois la vie différemment avec Tom. Au lieu de figer devant mes difficultés, je réussis à rire d'elles. Cette nouvelle vision des choses me permet de diminuer l'angoisse qui m'habite face aux petites crises de la vie. Tom me ramène à l'ordre.

- Revenons donc à ton dilemme.

- Je suis prêt à te suivre.

- Tu te dis célibataire endurci qui veut le demeurer?

- Exact.

- Qu'est-ce qui motive une décision aussi radicale?

- La peur de souffrir, de me perdre, de me laisser manipuler, de perdre mon authenticité, mon identité...

- J'en ai suffisamment avec cela. Maintenant, à chaque passage près d'une femme qui laisse présager une possibilité de relation ou de point commun, ta tête part à fabuler dans toutes les directions.

- Exact.

- Qu'est-ce qui justifie cette réaction?

- Je suppose que dans le fond de moi, il y a cette recherche de l'âme soeur qui demeure encore vivante.

- Ça ressemble étrangement à une quête amoureuse. Est-ce que tu sais exactement ce que tu recherches et ce que tu veux?

- Je ne l'ai pas défini puisque je veux rester célibataire.

- Donc, tu réagis n'importe comment et à n'importe qui, comme un sac de pop-corn qui va éclater, sans savoir quel grain va sauter le premier.

- Bon c'est ça, je suis maintenant un sac de pop-corn. Remarque que c'est un peu plus violent que cela. Je m'imagine plus comme une bombe à fission nucléaire. La réaction est plus rapide.

- Le principe est celui d'une réaction en chaîne qui se produit. Tu ne la maîtrises pas, tu la subis. C'est ce qui te donne l'impression de tourner en rond, puisque tu ne sais pas ce que tu veux ou ne veux pas vivre.

- Quand la réaction est amorcée, ça saute partout. J'ai besoin de me protéger et je ne sais pas ni comment ni pourquoi. Ça fait mal, ça bouille en dedans sans que je comprenne d'où tout cela provient.

- En résumé, tu n'acceptes pas l'idée que tu recherches une relation amoureuse, que tu n'as pas définie, ce qui fait que tu es un sac de pop-corn nucléaire.

Cette remarque résume bien la situation et nous permet de rire un bon coup. L'avantage majeur du rire par rapport à l'alcool ou à certaines drogues devient plus clair pour moi.

Le rire est accessible instantanément et peut s'arrêter aussi rapidement qu'il a commencé. Il peut céder la place à n'importe quelle autre émotion, sans aucune difficulté. Il est moins limité socialement et en plus, il ne coûte rien. Après une bonne séance de rire intense, je suis même capable de conduire mon véhicule. Cependant, le rire au volant peut être dangereux.

Je me souviens avoir fui la réalité dans l'alcool. Je me souviens aussi qu'au lendemain, rien n'avait été réglé. Les difficultés n'étaient pas disparues. Elles semblaient être pires encore.

Tom me permet d'y voir un peu plus clair. Ça semble si facile quand Tom amène un peu de lumière dans ce que je vis. Encore un paradoxe, car le soleil s'est couché depuis un certain temps. Un ciel de feu se dessine devant nous. Différentes teintes rouges et orangées s'entrecroisent. Ce ciel enflammé me fait peur. Est-ce un présage de ce que je vais vivre demain avec Tom à mes côtés?

- Quel est l'horaire pour demain, Tom?

- Après une journée sur le balcon avec toi je suis maintenant prêt à prendre l'air. Je te suis. Je sens que l'on va bien s'amuser demain.

Le ciel est plus qu'enflammé, il devient presque diabolique, machiavélique...

CHAPITRE 15

Chaque fois que je regarde le soleil levant, je le sens tout humble dans ses teintes de pastel, si tendres et sensibles, tellement différentes des couleurs de feu que j'y voyais hier au coucher. Tom ne me laisse pas la chance de jouer au poète très longtemps devant ma fenêtre.

- Tu regardes encore ton miroir?

- Pas vraiment, je regarde à travers la fenêtre.

- Et si ce n'est pas toi que tu y vois, qu'as-tu l'impression de contempler?

- Le soleil dans ses différents états d'âme.

- Remplace le soleil par toi et reprends la phrase que tu as dite en te levant.

- Ce matin je me sens humble, tendre et sensible.

- Au fait, comment te sens-tu ce matin?

- Tu vas être content si je te réponds tendre et sensible?

- Contente-toi de dire la vérité, juste la vérité et toute la vérité.

- Oui monsieur le juge.

- Je ne suis pas ton juge, je ne suis que ton accompagnateur, ne l'oublie pas.

- Mais quand je vois un ciel ardent et enflammé le soir?

- Quand tu laisses tes blessures émotionnelles t'irriter tout au long de la journée, n'as-tu pas l'impression que tout ton corps s'enflamme dans la souffrance?

- Finalement, tout n'est qu'illusion.

- C'est le reflet de notre état d'âme, pour être plus exact. Devant le même paysage, en écoutant la même musique, certains vont pleurer, d'autres rire ou se montreront indifférents.

- Le paysage n'aura pas changé, seul le spectateur change.

- Il en est de même lorsque tu es spectateur d'un événement quelconque de ta vie. Ce que tu y vois et ce que tu y ressens sont le miroir de ce que tu vis au fond de toi.

- Il y a des fois où c'est vraiment frustrant et choquant...

- On prendra le temps de regarder ensemble ce que le miroir a à nous dire.

C'est donc une journée qui ne s'annonce pas de tout repos. Sans mot dire, je ramasse à la hâte ce qui me sera nécessaire. J'avais pris un engagement avec mon ami,

125

Éric St-Pierre. On prévoyait passer une partie de la journée ensemble, sans but précis, pour le plaisir de discuter. Je commence à douter de la pertinence de ce rendez-vous compte tenu de la présence imprévue de Tom.

- Tom, je vais annuler mon rendez-vous avec Éric.

- Pour quelle raison?

- Comme tu es avec moi aujourd'hui, de façon à en bénéficier au maximum et d'être à ton écoute, je vais remettre mon rendez-vous avec Éric à une autre fois.

- Tu sais ce que tu es en train de faire?

- Annuler un rendez-vous?

- Tu veux stériliser ton environnement pour essayer d'être au maximum de ta performance dans ton apprentissage. Comme si tu voulais arrêter de vivre parce que je suis là et que nous cheminons ensemble.

- J'essaie d'être parfait encore une fois n'est-ce pas?

- Ne te complique pas la vie. Essaie de rester naturel. C'est tellement plus agréable et drôle comme cela.

- C'est frustrant de toujours faire rire de soi.

- Je préfère m'amuser et rire avec toi sur tes difficultés plutôt que de mourir d'ennui avec un mort-vivant stérilisateur ou perfectionniste.

Tom a encore une fois raison. Quand je me permets de ne pas me prendre au sérieux et de rire avec lui de tous les détails de la vie, non seulement c'est plaisant, mais en plus, j'apprends à mieux me connaître. Dans ma recherche de perfection, je ne suis qu'un iceberg qui se laisse dériver.

Ma sensibilité passe par mes imperfections et par l'acceptation de ce que je suis au naturel. Un iceberg, non seulement ne chemine-t-il pas vite, mais il ne montre qu'une infime partie de lui-même. Pas étonnant qu'on soit toujours un peu bousculé au contact d'un iceberg!

Nous arrivons devant l'appartement d'Éric. C'est un garçon sympathique et chaleureux. Nous avons vécu une année assez intense ensemble. On a travaillé, suivi des cours et partagé plusieurs activités ensemble.

C'est une journée un peu spéciale. C'est la première fois que l'on se rencontre sans que rien ne soit planifié, sans être bousculé par un agenda serré pour faire des activités spécifiques. Cette rencontre devient la rétrospective des expériences vécues ensemble. Nos besoins nous ont amenés à faire des choix de vie différents.

L'amitié qui nous lie va très certainement demeurer. Tout va être différent maintenant. Je ne peux oublier l'intensité de l'année que nous avons vécue ensemble. C'est toujours avec regret que je vois la croisée des chemins arriver.

Éric a été l'une des rares personnes qui ait connu certaines de mes relations amoureuses. Une, entre autres, vivait à l'extérieur de Montréal. Éric a passé un week-end avec mes deux enfants, ma copine et moi. C'est un privilège que je n'ai accordé à aucune autre personne.

Mon garçon Patrick a bien apprécié la personnalité enjouée d'Éric. Éric est plus jeune que moi. Il se situe en plein milieu, entre Patrick et moi. Quand je parle de ce que j'ai vécu à son âge, Éric qualifie mes aventures de préhistoriques.

La croisée des chemins dans l'amitié est moins dure à vivre pour moi que lors d'une relation amoureuse. C'est comme si, dans l'amitié, l'absence était temporaire. Je peux garder espoir qu'un jour prochain, nos chemins se recroiseront. On garde souvent un bon souvenir de nos copains. C'est avec nostalgie que je me remémore certaines anecdotes.

Les derniers moments d'une relation amoureuse, je les vis comme une finalité, la fin du monde ou du moins, la fin du mien. Non seulement les chemins ne se croiseront-ils plus, mais il y a la peur que l'autre garde un mauvais souvenir de ce bout de chemin fait ensemble.

J'ai toujours l'impression que je garde la nostalgie des meilleurs moments, tandis que l'autre ne garde que le mauvais souvenir des derniers jours. Mon ex compagne va refaire sa vie avec un autre, jetant ainsi à la poubelle tout souvenir de mon passage dans sa vie.

Je garde toujours un bon souvenir de mes relations passées. Chacune de ces relations m'apprend quelque chose de plus sur moi. Ces nouvelles connaissances me seront importantes dans ma continuité.

Parfois, les acquis que nous gardons d'une relation amoureuse sont loufoques. Initialement, je n'aimais pas le vin. Une amie n'aimait que le vin rouge. J'ai commencé à boire du vin rouge. Une autre amie ne buvait que du vin blanc. J'ai commencé à boire du vin blanc. Par la suite, j'ai pu boire du vin blanc et du vin rouge, grâce à ces deux femmes. Quand on m'offre le choix entre du vin blanc ou du vin rouge, je ne peux m'empêcher de me remémorer ces deux relations amoureuses. Aujourd'hui, je réalise que je n'aime ni le vin blanc, ni le vin rouge! Je n'ai qu'essayé d'être un bon compagnon, sans vraiment faire attention à ce que je préférais. Est-ce encore l'une de mes pirouettes pour être aimé et accepté?

Avec l'amitié, c'est le hasard de la vie, s'il existe, qui m'amène à nous séparer. Dans une relation amoureuse, il y a un choix de vie qui implique de plus grandes conséquences s'il y a rupture. Ce qui me blesse facilement dans les relations amoureuses, c'est lorsque ma partenaire sent le besoin de se justifier devant son entourage. Un monde de rumeurs vient entacher notre rupture.

Il est souvent arrivé que tout le monde savait déjà que ça allait mal dans ma vie de couple, sauf moi. Pourquoi inventer des histoires pour justifier que nous en étions rendus à la rupture? Pourquoi n'étais-je pas consulté dans ces échanges qui, pourtant, me concernaient?

Il m'est difficile de comprendre et d'accepter qu'on puisse en arriver là. Quand je commence une nouvelle relation, je m'imagine toujours que c'est la plus belle expérience de ma vie, la plus intense. J'amplifie la réalité et la voit plus belle qu'elle ne l'est en réalité. À la fin de la relation, pour retrouver sa liberté et son autonomie, ma partenaire ressent le besoin de détruire ce mythe que nous avions créé ensemble. Quand on rabaisse cette relation que j'ai tant idéalisée, je sens que c'est moi qui est sali et dévalué. J'ai de la difficulté à dissocier la relation de ce que je suis en réalité. J'ai l'impression d'avoir perdu mon identité propre dans le cours de cette relation.

La rupture est déjà assez difficile à vivre comme ça, j'ai le goût de la vivre sans hypocrisie, ni maquillage. Parents et avocats, quelques fois, s'amusent à de drôles de jeux.

Tom s'impatiente. Je suis planté devant la porte d'Éric, perdu dans mes pensées.

- Est-ce que tu frappes ou tu supposes qu'Éric est au courant que tu regardes sa porte depuis cinq minutes?

- Cinq minutes!

- Tu es parti loin.

- Et tu m'as laissé faire!

- Pourquoi pas, tu n'es pas trop dérangeant pendant ce temps-là?

Sur l'entrefaite, Éric ouvre la porte et semble étonné de ma présence devant sa porte. Il allait porter les déchets dans la chute près de son appartement.

- J'allais frapper, tu sais, quand tu es sorti...

- J'espère! Je me poserais des questions si tu restais devant ma porte pendant cinq minutes sans frapper.

J'ai l'impression qu'une certaine complicité est née entre Éric et Tom. Ce n'en est que plus inquiétant pour moi.

- Allez, entre et installe-toi, je te reviens dans un instant.

- Je t'accompagne, je n'aime pas entrer dans l'appartement des gens pendant leur absence.

- Je ne suis pas absent. Je ne suis parti que pour un instant.

On se retrouve finalement autour de la table. Éric prend soin de ranger un peu pour servir le café plus aisément. Je ne sais pas encore comment va se dérouler cet entretien. Je m'occupe de faire les présentations.

- Éric, je te présente Tom. C'est mon accompagnateur pour le prochain cours que je veux suivre. Il me suit dans certains déplacements pour m'aider à évaluer, sur le terrain, mes forces et mes faiblesses.

- Il doit avoir beaucoup de travail à faire avec toi.

- Je ne m'attendais pas à une meilleure présentation de ta part.

- Tu sais Tom, il est un peu archaïque, ton sujet. Penses-tu que tu vas réussir à le réchapper?

- Ça ne dépend que de lui. Je ne suis pas là pour faire des miracles.

Je reste bouche bée et boude pendant que Tom et Éric ont déjà commencé à rire ensemble. Éric termine le rangement et reprend la parole.

- Je m'excuse si c'est en désordre, mais j'ai une amie qui a passé la nuit ici. J'ai manqué de temps pour finir le ménage.

- Oh! Tu es en amour!

- Pourquoi, parce que j'ai manqué de temps pour faire le ménage?

- Non parce que... parce que...

- Ce n'est pas parce que j'ai couché avec une amie que je suis en amour pour autant. Ça n'a été qu'une partie de jambes en l'air, un point, c'est tout.

La faillite de mon expression faciale est très évidente. Je ne pourrais décrire ce qui se passe dans le fond de mon

ventre. C'est chaud ou c'est froid, difficile à dire. Une colère qui veut remonter ou une grande amertume qui veut
descendre.

La seule description d'émotions que je puisse faire est fort
simple; un fouillis indescriptible. C'est le genre de description qui attire Tom en moins de deux. Il pose sa main sur
mon avant-bras. Je le regarde pendant qu'il commence à
parler.

- Commence par prendre de grandes respirations.

- Ouf! Ouf! Ouf!

- Respire par le nez doucement.

- Facile à dire, j'étouffe!

- Ça s'en vient, continue.

Je reprends mon souffle. Je retiens un volcan prêt à exploser à tout moment. Il ne reste qu'un instant de répit avant
l'éruption fatale. Tom me regarde calmement dans les yeux
et me demande.

- Essaie de me décrire ce que tu vis.

- C'est confus. Beaucoup de choses en même temps. Il y
en a trop, ça devient trop difficile à dire.

- On va essayer de les prendre une à une. Si tu essaies de
démêler tout cela en même temps, tu risques d'exploser.

- Ça me va comme ça, je te suis.

- Quand Éric te dit qu'il a couché avec une amie hier soir,
comment te sens-tu?

- Jusque là, ça va. Je suis content pour Éric.

- Et s'il te dit que ce n'est que pour le plaisir d'un soir, tu te sens comment?

- J'ai le goût de lui dévisser la tête.

- Tu éprouve de la colère!

- Non! Éric est un ami.

- Tu ne te permets pas d'exprimer ta colère envers un ami?

- De toute façon, je ne sais même pas ce qui s'est passé. Je ne peux pas le juger pour autant.

- Tu as peur de le juger?

- Je ne veux pas le juger, ce n'est pas correct!

- Ce n'est pas correct de juger les gens?

- Non ce n'est pas correct.

- Et tu fais quoi avec tout cela?

- Il n'y a rien à faire, ce n'est pas correct, un point c'est tout.

- Tu restes figé avec ce que tu éprouves parce que ce n'est pas correct. Tu te censures en disant que ça ne serait pas correct si tu exprimais ta colère.

- Si j'éprouvais de la colère envers moi-même, ça serait correct.

- Donc, la colère, c'est bon pour toi, mais pas pour les autres. Belle injustice! C'est comme si je parlais à un ordinateur!

- Un ordinateur?

- Un ordinateur programmé avec des "correct" et des "pas correct". Ta programmation est boiteuse. Ça tourne en rond autour d'une série de "pas correct" et tu figes dans cette boucle.

- Et qui a eu l'amabilité d'écrire ce drôle de programme?

- Ton vécu, tes parents, tes éducateurs, toute une série d'événements et de personnes t'ont présenté des idées et avec le temps, tu as bâti toi-même l'ensemble de tes principes qui animent ta vie.

- C'est moi qui ai conçu cela?

- Ne t'ai-je pas déjà dit que tu es maître de ta destinée?

- Oui.

- Ça inclut aussi tes principes et tes croyances.

- On m'a présenté beaucoup d'idées. Je ne suis pas obligé d'y adhérer pour autant. J'ai une capacité de discernement pour faire mes choix.

- En plus, ce qui était vrai pour toi il y a vingt ans ne l'est peut-être plus aujourd'hui. Tu peux te permettre de te remettre en question, d'évaluer, parmi tes principes, ceux qui sont devenus désuets. J'appelle cela évoluer avec le temps.

- Je suis dû pour une bonne remise en question.

- Ne t'inquiète pas, c'est déjà commencé.

- Et toi, tes principes, tu les révises régulièrement?

- Il n'y a rien de préconçu. Je vis l'instantanéité du moment donné. Je laisse vivre mon émotion dans toute sa fraîcheur. C'est ce qui lui donne sa couleur et son parfum.

Après un tel commentaire de Tom, je commence à me sentir, comme disait si bien Éric, un peu archaïque dans mon fonctionnement.

Je prends soin de boire rapidement mon café. Je me doute que le récent survol de mon mode de fonctionnement n'est que l'introduction de ce qui va suivre. J'ai peur que la suite soit plus difficile à avaler. C'est une remise en question majeure. Je ne veux pas prendre à la légère tout ce que cela peut impliquer et me faire vivre. Éric me prépare un deuxième café. Tom enchaîne.

- On peut revenir à la colère.

- Ça va, c'est terminé. On peut passer à autre chose, tu sais.

- Tu cherches une échappatoire?

- Non, non, ce n'est qu'une suggestion, comme ça, en passant.

- Quand Éric te dit qu'il a rencontré une amie pour le plaisir d'un soir, ça te met en colère.

- Je ne suis pas fâché contre Éric.

- Je ne t'ai jamais dit que tu étais fâché contre Éric.

- Une colère doit être dirigée vers quelqu'un!

- Pas nécessairement. Cette colère provient de ton expérience, d'un événement de ton passé.

- Une vieille colère qui remonte?

- C'est pour ça que tu as raison quand tu dis que tu n'es pas fâché contre Éric.

- Ce qu'il a dit et ce qu'il a fait ressemble à un événement que j'ai déjà vécu. Une colère que je n'ai pu exprimer est restée associée à cet événement.

- Éric, en parlant de son aventure d'un soir, fait remonter cette colère en toi. Tu n'as pas osé l'exprimer, car tu trouves illogique de te fâcher contre Éric dans ce contexte.

- Ce n'est quand même pas bien de faire subir ma colère à Éric. Il n'y est pour rien.

- Cette colère que tu gardes en toi est un point de tension. Chaque fois qu'un événement similaire va se reproduire, tu vas encore ressentir cette colère.

- Si je prends le temps de manifester ma colère, que va-t-il se passer?

- Et si tu osais l'exprimer, tu aurais la réponse.

C'est toute une aventure que Tom me propose. Je me sens suffisamment en confiance pour la tenter. Je sais qu'Éric a la capacité de comprendre. De plus, Tom est présent pour servir d'arbitre.

Tom me suggère de regarder Éric droit dans les yeux. Éric va redire la fameuse phrase qui m'a tant fait réagir. En-

136

suite, je vais exprimer ce que je ressens, sans retenir l'émotion qui remontera. Au signal de Tom, Éric part le bal.

- Hier soir, j'ai fait l'amour à une amie: une partie de jambes en l'air, une aventure sans lendemain...

- Je trouve cela dégoûtant, Éric.

- Que j'aie fait l'amour?

- Non, de savoir que ce n'était que pour un soir. Je trouve cela injuste et malhonnête envers cette jeune femme. Elle espère commencer une relation sérieuse, à long terme, et voilà qu'elle rencontre un homme qui lui fait de fausses promesses, juste pour avoir ses faveurs! Et puis après c'est fini on lui montre la porte! C'est révoltant!

- C'est vrai. Ce que tu me racontes est révoltant. Moi aussi, ça me dégoûte, ce genre de situation-là.

- Ce n'est pas ce qui s'est passé hier soir?

- Vraiment pas! Elle ne voulait pas plus que moi d'une relation régulière. De part et d'autre, tout avait été très clair, ce n'était que pour un soir. Elle en avait le goût autant que moi. C'est même elle qui en a initié les préliminaires.

Je connais Éric pour son honnêteté. Je suis un peu honteux de la façon dont j'ai déformé ce qu'il m'a raconté sans connaître tous les détails. Tom reprend la parole.

- Qu'est-ce que tu as déjà vécu et qui t'amène à déformer la réalité ainsi?

- Ce n'est pas la première fois que je me retrouve face à un copain qui me raconte ses péripéties sexuelles. Trop souvent, les histoires montrent un manque de respect envers les femmes. J'ai même reçu des confidences de femmes qui mettaient en doute l'intégrité des hommes dans leurs rapports avec elles.

- Éric t'a fait revivre certaines situations qui te font réagir. Tu es resté marqué par les confidences reçues. Un rien te ramène à la colère que tu n'as su ou n'as pas pu exprimer à l'époque.

- C'est vrai que je demeure sensible sur ce point.

- Plus la souffrance impliquée est grande, plus tu deviens sensible, facilement irritable.

- Qu'est-ce que je peux faire pour m'en sortir?

- Premièrement, accepte que cette zone de sensibilité existe. Nous avons tous nos petites cachettes émotionnelles qui nous font réagir de façon illogique de temps à autre.

- Ça m'a aidé de faire cette petite expérience et d'exprimer à Éric ce que je ressentais. Un petit jeu pour démêler mes sentiments.

- Tu n'as qu'à être plus vigilant quand tu te retrouveras dans un tel contexte. Plus tu apprendras à te connaître et plus tu pourras identifier les événements qui t'affectent et auxquels tu es plus sensible. Tu ne peux t'empêcher d'être sensible à ces événements; cela fait partie de ta réalité. Ne les fuis pas ou n'y réagis pas impulsivement. Apprends à vivre en harmonie avec ce que tu es, à t'approprier ces événements pour en profiter et en faire bénéficier ton entourage. Chacun de ces événements, aussi tragique ou dramatique soit-il, est là pour nous apporter un petit cadeau, un enseignement sur ce que nous sommes et sur ce que nous pouvons devenir.

- C'est une façon de vivre son intensité, dans toutes les couleurs qu'elle peut avoir.

Ce que je trouve le plus curieux dans cet échange, c'est que je viens de vivre une colère, mais en aucun moment, je n'ai élevé la voix ou frappé sur la table. J'ai simplement exprimé ce que je ressentais. C'est comme si je pouvais exprimer un état de rage, mais avec amour. Un paradoxe bizarre.

Cela me ramène à une phrase écrite par les Meurois-Givaudan; "Réapprendre à spiritualiser tous nos faits et gestes, aussi banaux soient-ils, à partir du simple fait de boire un verre d'eau".

Apprendre à vivre la colère avec honnêteté et amour, n'est-ce pas une façon de vivre la spiritualité? Moi, qui ai long-temps cru que pour vivre sa spiritualité, il fallait méditer vingt-quatre heures par jour dans un sanctuaire, être en pleine béatitude et vivre dans une extase complète. Moi qui croyais que je devais m'empêcher de vivre certaines émotions classées négatives, telle la colère.

Vivre sa spiritualité prend un nouveau sens et une nou-velle réalité. Vivre sa spiritualité devient synonyme de vi-vre toutes ses émotions, incluant la colère, puis, de les manifester dans l'amour et le respect; reprendre conscience de tous ses faits et gestes et les vivre avec authenticité et amour.

J'ai à prendre conscience de ce que je fais de ma vie. Cette prise de conscience devient une balise, ma balise. Lorsque je ne serai plus en paix avec ma pensée ou mes gestes, cette conscience qui est mienne, m'incitera à les rectifier. Ce changement ne sera pas imposé de l'exté-rieur, mais proviendra de mon for intérieur.

139

Cette dernière remarque me fait déjà rêver. Vivre ma spiritualité dans tous mes faits et gestes. C'est à ce moment que Tom reprend la parole.

- Vivre ta spiritualité, même dans ta sexualité!

Cette remarque me fait tomber de ma chaise. Je ne réussis pas à comprendre ou je ne veux pas comprendre.

- Mais Tom, de quoi parles-tu?

- Pour un temps, je dois interrompre ton accompagnement.

- Comment cela?

- Tu dois vivre ta vie un peu plus avant de continuer, tenter de faire de nouvelles expériences.

- Des expériences ou des erreurs?

- Peu importe, en autant que tu vives quelque chose. Je pourrai revenir par la suite.

- Et qu'est-ce que l'on fait maintenant?

- Je m'en vais. Je reviendrai en temps et lieu.

Après le départ de Tom, je demeure quelques instants avec Éric. Je me sens tout déséquilibré. Je reste avec un sentiment d'échec face à Tom. À mon tour, je quitte Éric.

CHAPITRE 16

Les dernières remarques de Tom ne me laissent pas indifférent. Encore une fois je cherche à fuir et à prendre des détours pour éviter d'aborder le sujet spiritualité vs. sexualité. Je continue à marcher, seul avec mon questionnement.

Après avoir écrit le quinzième chapitre, je suis dans l'impossibilité de poursuivre la suite de ce livre. Je vis trop d'intensité face à ces peurs que je dois surmonter pour que mon stylo puisse s'amuser avec Tom et remplir d'autres pages qui s'entêtent à rester blanche.

Pendant ce temps, je reçois le dernier numéro de "Mutations Globales". Johanne Beaudoin, une amie, en est la directrice et la principale auteure.

J'ai participé au numéro précédent en écrivant un article sur la prévention du suicide. Dans celui-ci, je participe en exprimant mon opinion sur la question des droits d'auteurs.

Quelle surprise de voir, à la fin de la revue, que le prochain numéro portera sur les "relations amoureuses et la sexualité". À noter que "Mutations Globales" est une revue de cheminement spirituel. Je ne peux m'empêcher de rire aux éclats et de téléphoner à Johanne pour me prononcer sur le thème choisi.

- Johanne avec le thème du prochain numéro, tu peux être sûre que tu n'auras pas d'articles de moi.

- Mais au contraire, ce serait intéressant d'avoir les deux polarités dans le même article, le côté féminin et le côté masculin.

- Tu peux oublier ça, Johanne. Je suis tellement figé sur le sujet qu'il n'y a rien qui sort. Je ne suis même plus capable de continuer mon livre avec Tom.

- Ne t'inquiète pas, j'ai eu la même stupéfaction en lisant ce thème sur mon écran d'ordinateur.

- Ce n'est pas toi qui l'as choisi?

- Toi, c'est Tom qui s'amuse quelquefois à te mettre dans le pétrin pour te faire cheminer. Moi, ce sont mes guides. Ce sont mes mains qui pianotent sur le clavier de l'ordinateur, mais sincèrement, ce sont mes guides qui envoient le message. Je ne sers que de canal. Si j'avais laissé ma tête trier ce qui est écrit, sois assuré que je n'aurais jamais choisi ce thème.

- Et si tu n'es pas plus à l'aise que moi pour écrire sur la sexualité et la spiritualité, comment vas-tu t'y prendre?

- C'est facile. On va correspondre ensemble et ce, sans censure, ni laisser-aller dans tout ce qu'on dira, sans se juger, sans trier ou sans limiter nos écrits.

- As-tu déjà reçu des pages blanches par la poste?

- Écoute, même si on ne réussit pas à faire l'article pour "Mutations Globales" ou à compléter ton livre, ce n'est pas grave, Je suis sûre que l'on va avoir un plaisir fou et que l'on va rire comme deux enfants.

Johanne et moi commençons notre correspondance. Le courrier est très lent à véhiculer l'intensité de tout ce que nous avons à dire. Je suis surpris. J'ai le temps de lui envoyer cinq lettres avant de recevoir la réponse à la première.

Je me sers du télécopieur pour accélérer la transmission. On se rencontre, on écrit, on échange les textes sur place et on partage, non seulement par l'écriture, mais verbalement, quand on peut le faire.

On a même modifié des exercices écrits à quatre mains pour apprendre à lâcher prise sur le sujet et pour se dérider complètement en même temps. On échange toute une série de lectures qui nous tombent sous la main.

Au fur et à mesure des échanges, je réussis à écrire un nouveau chapitre de mon livre. Mais quelle surprise de voir que ce n'est pas la suite du chapitre quinze. Il reste en attente jusqu'à ce que je me rende compte qu'il est le dix-septième chapitre du livre.

Quand je termine finalement le quinzième chapitre, Johanne réussit à compléter l'article pour sa revue. C'est à ce moment que j'écris un autre chapitre qui deviendra le chapitre dix-huit.

J'ai amélioré grandement la situation, mais il reste un vide immense, un chapitre: le seizième. Ma première idée est de laisser quelques pages blanches pour montrer ce à quoi je ressemble quand je fige sur un thème donné. L'idée est originale, mais trop facile.

Je regarde ce que peut représenter ce chapitre seize dans ma vie, laissé en blanc, entre les quinze premiers et les deux suivants. À partir de ma stupéfaction et de mon blocage à la fin du chapitre quinze, je saute rapidement à la recherche d'une solution au chapitre dix-sept.

Ça, c'est vraiment mon style. Acceptant mal mon blocage, je me démène à trouver une solution au plus vite et j'oublie de vivre la transition qu'il y a entre les deux chapitres.

De plus, je sais que si je m'isole avec mon blocage, je ne pourrai accepter l'aide que m'offre Johanne et je resterai avec mes pages blanches, jusqu'au jour où elles jauniront avec les années.

Soit dit en passant, un gros merci à Johanne Beaudoin pour toute l'aide qu'elle m'a apportée et qui m'a permis de compléter ces chapitres.

Je remarque un fait important: l'absence de Tom pendant que je reste en panne avec mes pages blanches. Est-ce que Tom m'a abandonné pendant ce temps? Je suis déçu de son absence au moment même où j'ai le plus grand besoin de son aide.

Je l'imagine les bras croisés, à attendre que je me démêle sans lui. Je me rends compte que j'ai certaines lacunes pour compléter ce travail. Tant que je n'ose expérimenter et sortir de ma coquille, Tom ne peut rien faire pour m'aider.

Ironiquement, je reçois une carte postale de Tom. Il y est écrit:

- "Aide-toi et le ciel t'aidera".

Je commence donc par oser sortir de ma coquille, puis expérimenter pour apprendre à me découvrir et à recevoir l'aide demandée.

145

CHAPITRE 17

Question de me mettre dans l'ambiance, je commence avec un peu de lecture. Avant d'expérimenter, rien de mieux qu'un manuel d'instructions. Découvrir là où les autres ont trébuché, en espérant voir la faille qui les a fait tomber, pour éviter de refaire les mêmes erreurs.

Ça semble relativement facile. Le nombre de bouquins sur le sujet ne doit sûrement pas manquer. Le hasard fait bien les choses car Johanne Beaudoin, cette amie bienveillante, m'a justement prêté un article d'une dizaine de pages sur les péripéties d'un autre célibataire. Il s'agit d'un article de Bernard Montaud intitulé "Vers le sacré dans l'ordinaire".

Dans l'article de Bernard, voici la première grande découverte que je fais: "Quand on veut rencontrer une personne du sexe opposé, on va là où elles sont, c'est-à-dire dans les boîtes de nuit".

Déjà là, j'ai à travailler mon système de valeurs et mes jugements. Je n'ai jamais apprécié ce genre d'endroit. Premièrement, il fait noir. Je ne me trouve pas suffisamment à l'aise pour savoir qui j'aborde. Autre problème, la musique est forte, donc difficile de se faire entendre.

La difficulté majeure pour moi réside peut-être dans le fait d'avoir à crier pour me faire entendre. Ceci laisse supposer que des personnes autres que celles visées peuvent m'entendre. Avouer à tous que je suis un célibataire en quête d'une femme! J'ai là, une grande difficulté à surmonter.

Ce que je trouve difficile à accepter, c'est d'approcher une femme que je ne connais pas. Ici, je pars du principe que si je ne la connais pas, je ne peux savoir si elle va m'intéresser. Et si elle ne m'intéresse pas, j'aurai à le lui dire, malgré que je l'aurai approchée. Je ne veux pas la décevoir, ni lui faire de peine.

L'inverse est aussi difficile à accepter. Si je passe une partie de la soirée avec elle, j'apprends à la connaître et je m'intéresse encore plus à elle. Qu'arrivera-t-il si, de son côté, l'intérêt n'y est plus et qu'elle m'abandonne là? Tout un risque à prendre! Je pourrais me sentir rejeté, humilié et j'en passe...

Pendant que j'écris tout cela, quelques mots remontent en moi: la peur de vivre. Juste quatre mots, mais qui résonnent fort dans ma petite tête. Apprendre à vivre toute mon intensité inclut la possibilité de vivre également l'humiliation et la honte. Si ça arrive, j'aurai à accepter la situation, sans dramatiser, et à demeurer en paix avec moi-même. Prendre la vie avec un grain de sel pour mieux apprivoiser mon côté émotif, mes sentiments.

Ce qui m'embête au sujet des boîtes de nuit, c'est qu'elles sont un endroit où, certaines personnes, y vont dans le seul but de se trouver un partenaire d'un soir. Malgré ma discussion avec Tom et Éric sur le sujet, cela demeure un sujet sensible qui me fait encore réagir.

La deuxième grande "découverte" que je fais dans l'article de Bernard est la suivante; "Si je m'assieds sur le tabouret face au bar, je ne pourrai jamais parler aux femmes qui me passent dans le dos et je risque de passer la soirée à parler à mon verre de rhum".

Je te remercie, Bernard, de la mise en garde. Je veillerai à m'asseoir face à la salle. Remarque que dans cette citation, j'ai remplacé ton whisky par mon rhum.

Fort de ma première grande "découverte", je décide de visiter une boîte de nuit. Déjà, dès le départ, je me sens ridicule. En sortant de chez moi, j'aperçois ma voisine qui fait de même, accompagnée de l'une de ses amies. Elles sautent dans l'auto et j'imagine qu'elles aussi se rendent dans une boîte de nuit.

Cet incident me laisse perplexe. Pourquoi deux personnes qui vivent si près l'une de l'autre et qui ne se connaissent pas, fréquentent-elles une boîte de nuit pour ne rien voir, ne rien entendre, et sortir de là avec, de toute façon, une personne qu'elles ne connaissent pas plus?

Cette voisine est accompagnée d'une amie. Une autre peur remonte déjà. Être célibataire, en quête d'une rencontre c'est une chose, mais en plus le faire seul, sans être accompagné d'un ami! J'ai l'impression que tout ceux qui se cherchent une âme soeur le font avec un ami.

Est-ce que je suis en train d'ajouter un autre handicap à ma quête relationnelle? Comme si j'imaginais que dans ces boîtes de nuit, il n'y avait que des groupes de femmes et d'hommes en chasse. Encore une façon de me voir différent des autres!

Me voilà donc parti à pied, en direction de cette fameuse boîte de nuit. Je commence par aller en sens opposé. Question de m'habituer à l'idée, de prendre mon souffle ou encore de m'essouffler avant de m'y rendre. Je fais de grands détours avant de m'aligner sur la rue qui me mène à mon objectif, la source de mes angoisses. Je me suis même arrêté à un parc pour regarder pendant un certain temps une partie de balle.

Je m'approche de la boîte de nuit. Je commence à entendre le vacarme qu'il y fait. La porte d'entrée est à quelques pas. Je ralentis pour me laisser plus de temps afin d'analyser la situation.

J'arrête devant la porte et je fais semblant de lire les affiches. Pendant ce temps, je scrute l'intérieur. Est-ce qu'il y a un placier? Combien dois-je lui laisser de pourboire? Si je rentre seul, tout le monde va savoir ce que je fais là.

Je termine de lire l'affiche et je poursuis mon chemin. J'essaie de voir si ça ne serait pas plus facile et plus discret d'utiliser l'entrée arrière. Rien à faire.

Je continue ma marche. Je reviens bredouille à l'appartement. Je suis déçu de cette première expérience, mais en même temps soulagé.

Ça me rappelle une phrase que j'ai souvent entendue en relation d'aide : "Être prêt à s'accepter là où l'on est". Et bien moi, ce soir, j'ai à m'accepter là où je suis, c'est-à-dire seul dans mon appartement, sans même avoir réussi à ouvrir la porte de cette boîte de nuit.

J'aurais pu inventer de belles excuses: qu'il y avait trop de monde ou pas assez de monde, que j'ai changé d'idée. J'aurais pu inventer une histoire romanesque où je rencontre quelqu'un dans le parc avant de me rendre à cette boîte de nuit ou que j'ai eu une sévère migraine. Pourquoi me casser la tête à déformer la réalité? La vérité est tellement plus simple d'une part, mais surtout tellement plus drôle et intéressante.

Si j'avais choisi la théorie de la migraine, il est fort à parier que la fin de ce chapitre aurait été vraiment ordinaire. En me montrant tel que je suis, je me sens à l'aise de partager ces événements avec vous, sans les déformer.

Une phrase me revient à la mémoire: "Si tu ne vaux pas une risée, tu ne vaux pas grand chose". Eh bien, j'ai l'impression que je vaux beaucoup plus depuis que je réussis à vivre en acceptant de rire de mes déboires.

Pendant que j'écris cela, je me demande comment s'est débrouillée ma voisine? Elle est peut-être en train d'écrire elle aussi, seule, dans son appartement. Sa soirée a peut-être été différente de ce qu'elle espérait.

Et si j'allais lui emprunter une tasse de sucre?

CHAPITRE 18

Après ce fameux samedi soir passé à éviter d'entrer dans cette boîte de nuit, je suis perplexe quant à ma capacité à réaliser ce que je croyais avoir pourtant si bien planifié.

Le week-end suivant, je fais un nouvel essai. La vitrine d'un club annonce qu'il y a un groupe rock chaque samedi soir. À partir de vingt-deux heures, la bière est à demi-prix, pour les dames.

Ce nouvel essai me semble plus facile. Faire mon entrée lorsqu'un groupe rock joue et fait du bruit me sécurise. Dans une boîte de nuit, l'ambiance est plus calme. Une entrée trop tapageuse serait vite remarquée.

J'ai peur d'entrer dans un endroit où les gens seraient deux par deux ou quatre par quatre, tous en couple. Comme si la vie n'était faite que pour être vécue en multiple de deux. J'appelle cela le complexe de Noé. Même à trois, ça semble plus facile que seul.

Savoir que la bière est à demi-prix pour le sexe opposé, sans trop savoir pourquoi, me sécurise aussi. De plus, le rythme d'un orchestre rock devrait réussir à enterrer le fracas de mon entrée si, par malheur, elle se faisait tapageuse. Ça me permet d'avoir une raison autre que la recherche de l'âme soeur pour me retrouver là: celle de vouloir écouter du rock.

Je m'arme de courage et je me dirige vers le club. Sans hésiter, pour éviter de toucher à toutes les peurs qui m'auraient arrêté, je traverse l'entrée principale du club. Mon entrée est réussie. Je ne me suis pas "enfargé" dans les fleurs du tapis! Surprise totale! Personne aux tables, même le juke-box est muet. Seul, au fond, le barman sert trois habitués au comptoir.

Je bats en retraite et me retrouve sur le trottoir. Il y a une deuxième porte. J'ai dû, évidemment, prendre la mauvaise porte. Tout en m'assurant que mon courage ne m'ait pas abandonné, je fais rapidement les quelques pas qui me séparent des deux portes et, sans hésiter, j'entre par la deuxième porte.

Il n'était pas question d'hésiter. Hésiter, pour moi, c'est laisser ma tête trouver des excuses qui justifient d'abandonner la lutte contre mes peurs. C'est fuir une fois de plus.

Par cette deuxième porte, une autre grande surprise. La même salle, les mêmes tables vides et dans le fond, toujours, le même barman qui, j'en ai fortement l'impression, commence à trouver mon comportement très bizarre.

J'ai beau regarder partout, il n'y a pas d'escalier pour descendre, pas d'escalier pour monter. Il ne semble pas y avoir d'autres salles où pourrait se cacher ce fameux groupe rock.

Je me sens ridicule. Rendu à ce stade, je n'ai plus rien à perdre. Je n'ai plus à avoir peur d'être ridicule, je le suis, effectivement.

Tout en acceptant le côté cocasse de l'événement, j'avance timidement vers le fond de la salle pour questionner ce barman.

- Si j'ai bien lu, vous annoncez qu'un groupe rock se produit ici?

- Et la bière est à demi-prix pour les dames à partir de vingt-deux heures. Il est vingt-et-une heures cinquante, ce qui me permet de supposer que ce n'est pas seulement le groupe rock qui vous intéresse.

Quelle perspicacité et quelle clairvoyance? Son sourire en coin lui donne même un air de famille avec Tom. Il ne me laisse pas trop longtemps dans cette situation un peu embarrassante. Tom m'aurait laissé dans cette position jusqu'à ce que je trouve la porte de sortie par moi-même. Le barman continue son baratin.

- Pour les vacances, nous avons suspendu les spectacles, il n'y a pas assez de monde en ville. Tu peux revenir dans une quinzaine. En attendant, je te suggère de descendre dans les Laurentides ou dans le centre-ville, c'est là que l'action se passe.

- Je vous remercie des informations.

Je prends congé du barman et de cette salle remplie de solitude. Sur le trottoir, je m'arrête pour prendre une grande respiration.

Tout en trouvant comique la situation que je viens de vivre, je suis satisfait de ce que je viens de faire. Je viens de surmonter certaines peurs. C'est ma première victoire! Le plus important est d'avoir eu le courage de vérifier ce qui se passait exactement. Je n'ai pas fabulé sur la situation ni même entretenu mes angoisses.

Si j'étais resté seul dans ma chambre, ce soir, avec le goût d'aller dans ce club pour rencontrer une personne du sexe opposé, il m'aurait alors été facile d'imaginer qu'à l'opposé de la solitude de ma chambre, le club était rempli à craquer et que tout le monde s'y amusait comme des fous. Cette fabulation m'aurait fait souffrir et aurait rendue encore plus lourd l'atmosphère de ma chambre.

En plus de trouver difficile d'accepter que j'aurais pu avoir peur de faire quelque chose, j'aurais eu à justifier cet échec. La meilleure justification que mon cerveau puisse fabriquer, c'est le préjugé.

J'aurais pu imaginer que les femmes qui sont dans les clubs ne sont pas celles que je cherche. J'aurais pu supposer que je suis un homme bien et que les hommes bien ne vont pas dans ce genre d'endroit. Ces justifications seraient-elles des préjugés envers ceux qui ont le courage d'y aller et qui ont vaincu leur peur?

Sur le trottoir, je me retrouve seul avec moi-même, bien dans ma peau, capable de rire, encore une fois, de ma soirée. Je me sens libre. Libre de ne pas avoir eu à me juger et de ne pas avoir jugé les autres. Libre de prendre conscience de mes peurs, sachant que de temps à autre, je peux les surmonter et qu'à d'autres moments, elles m'empêchent d'avancer.

Lorsque je laisse mes peurs m'envahir, je n'ai pas à inventer un monde de justification. Ce n'est qu'une façon de survivre dans un monde imaginaire complexe. La réalité est pourtant si simple.

En m'acceptant comme je suis en toute simplicité, une immense joie remplit mon être. Cette joie se reflète par un nouvel éclat dans mes yeux et par un sourire suspendu à mes lèvres.

Et si c'était cela vivre sa spiritualité? Non pas la performance du résultat obtenu, mais l'état d'âme dans lequel je prends le temps de vivre l'événement? Peu importe l'événement et peu importe les conséquences en y incluant même la vaisselle qui m'attend à l'appartement et la lessive que je vais faire!

Chapitre 19

J'ai besoin de prendre un temps d'arrêt et d'un peu de recul face aux expériences passées à tourner en rond autour d'une boîte de nuit ou à défoncer les portes d'un club vide! Ce week-end s'annonce différent des autres.

Un ami qui m'a beaucoup aidé, Marcel Mailloux, possède une maison sur un grand terrain à La Minerve. Il ne sait pas encore ce qu'il veut y faire, mais il imagine quelque chose pour aider les gens à se ressourcer. Il m'offre d'y habiter pour un week-end.

J'invite Johanne à m'accompagner. Les échanges de textes que nous avons eus sur la relation amoureuse pourront nourrir notre réflexion durant le week-end. L'idée d'un endroit de ressourcement en dehors d'un centre urbain nous est déjà passée par la tête. À tout hasard, nous allons explorer l'endroit. Cela pourrait nous donner des idées pour d'autres projets.

Après moulte difficultés pour trouver l'emplacement (c'est vraiment en dehors des sentiers battus) et la peur bleue de ne pas avoir la bonne clef (après deux heures et demie de route, la déception aurait été grande de revenir bredouille), notre entrée dans la maison fut un peu cocasse: le barillet de la serrure étant brisé, la porte n'était même pas barrée!

Un décor splendide et tranquille nous entoure. Aucun voisin en vue aux alentours. Une faune et une flore abondantes. Cette maison accueillante peut recevoir jusqu'à 17 personnes et le sous-sol n'est pas aménagé encore. Très enviable pour une maison de thérapie ou de ressourcement!

Après une courte randonnée pour découvrir les charmes du terrain boisé, nous nous retrouvons à la salle à manger. Johanne sort de sa mallette l'article qu'elle a "pondu" pour "Mutations Globales" suite à tous nos échanges sur les relations amoureuses et la sexualité.

Je sors de ma mallette les textes du "Journal de la Rue" que j'ai écrit. Après la rencontre avec Marie-Claire Beaucage l'an dernier avec Tom, je me suis impliqué dans son organisme. C'est mon premier numéro à titre de directeur et de rédacteur en chef. Je souffre d'insécurité et j'ai besoin d'une opinion pour me rassurer. J'y parle de sexualité, mais sous d'autres aspects: sida, condom, inceste, prostitution, etc... Nous échangeons nos textes.

Ça n'en prend pas moins pour nous remettre dans l'ambiance du sujet inépuisable des relations amoureuses et de la sexualité. Je n'ai pu m'empêcher de lui décrire mes deux expériences sur la scène de la drague nocturne. Avec animation, je lui fais un récit de mes déboires, truffé de commentaires. Cette description nous permet de nous payer une séance de rires intenses.

Ma vie est tellement plus facile et drôle depuis que j'apprends à dédramatiser les événements. Non seulement je peux en rire, mais en plus, je peux partager ce plaisir avec des amis. Le rire devient un moyen de communication. C'est tellement différent de m'isoler et de pleurer sur mon sort.

Je me rends compte que j'ai tendance à m'isoler avec mes drames par peur de déranger les autres avec mes souffrances. C'est comme si j'attendais d'être heureux pour me montrer. En dédramatisant la situation, en riant de mes maladresses et de mes peurs, les gens autour de moi m'apprécient davantage.

Qui n'aime pas rire? De plus, le rire est un excellent exercice physique. Ça élimine la tension accumulée, oxygène le système et vous déride, ça c'est sûr!

Certains spécialistes disent que rire retarde le vieillissement, d'autres mentionnent que rire fait rajeunir. Si c'est vrai, je peux vous dire que Johanne et moi sommes redevenus adolescents. Bientôt, nous devrions parvenir au stade de l'enfance!

À dédramatiser, je réussis à comprendre de plus en plus mon problème. C'est comme si, à chaque fois, je réussissais à enlever une couche supplémentaire de l'oignon.

Et finalement, un beau jour, sans prévenir, l'oignon n'est plus. La surprise arrive, puis un éclair de génie vous traverse l'esprit. C'est lors de ces prises de conscience que je réalise qu'il n'y a pas que de la souffrance dans les événements de ma vie. Il y a aussi un petit cadeau à aller chercher et à découvrir.

Dans ces instants de prise de conscience, c'est encore plus drôle et plus libérateur. Cette étincelle me permet de faire un pas de plus dans la découverte de l'être complexe que je suis.

Un état d'euphorie qui me permet d'entendre des phrases qui, autrement, auraient pu passer inaperçues. Et c'est évidemment ce qu'il s'est passé avec Johanne pendant cette séance de rire. Entre deux éclats de rire, Johanne lance tout bonnement cette phrase:

- Es-tu sûr de vraiment vouloir rencontrer une femme?

Johanne continue à rire. Moi je ne ris plus. Il y a quelque chose de magique dans cette phrase qui me laisse bouche bée, sidéré. J'ai besoin d'approfondir cette phrase lancée innocemment.

- Est-ce vraiment de cette façon que je veux rencontrer une femme?

- C'est toi qui es censé répondre à la question, pas moi.

- Tu soulèves un point important que je n'avais pas envisagé.

- Ah oui, et lequel?

- Je ne le sais pas encore.

- Tu es pris dans un cul-de-sac ou tu vas encore tourner en rond autour de ta boîte de nuit.

Le rire reprend de plus belle autour de la dernière remarque de Johanne. Il y a un malaise. Je ne peux pas le définir encore. Face à cette difficulté, j'ai quand même le goût d'en découvrir un peu plus. Je reprends mon questionnement avec Johanne.

- Comment puis-je faire pour découvrir ma difficulté si je n'ai pas encore vécu l'expérience?

- Tu n'as qu'à jouer aux échecs!

- À jouer aux échecs?

- Oui, face à une situation donnée, le joueur d'échec s'imagine être en train de déplacer une pièce et analyse ce qu'il pourrait se produire. Il peut, sans vivre l'expérience, visualiser les conséquences du déplacement de ses pièces.

- Je comprends comment m'améliorer aux échecs, mais je ne saisis pas le rapport avec ce que je cherche.

- Tes échecs relationnels peuvent s'étudier comme une partie d'échecs.

- Explique-moi un peu plus, s'il te plaît!

- Imagines que tu entres dans cette boîte de nuit ou encore que ce club rock est rempli à craquer. Tu envisages tous les scénarios possibles, les bons et les moins bons, jusqu'au moment où apparaît celui qui déclenche ton malaise. Tu pourras alors mieux le cerner et comprendre ce qui se passe en toi.

L'idée n'est pas bête. Je ne suis pas prêt à la mettre en application pour le moment. La fatigue nous gagne et nous avons nos chambres à préparer.

C'est vrai que rire c'est comme faire de l'exercice physique. Je sens dans mon corps la même fatigue que si j'avais marché cinq kilomètres. À noter que c'est la distance que nous avons parcourue le lendemain pour nous rendre au dépanneur le plus proche. C'est pour cela que je peux comparer!

Les lumières s'éteignent sur cette première journée à La Minerve. Je me laisse aller dans les bras de Morphée sans trop de résistance.

Chapitre 20

Des lumières scintillent au plafond. Elles apparaissent et disparaissent en suivant un rythme régulier. Un bruit sourd se rapproche. Des formes se dessinent tout autour de moi. Ce bruit provient du fond de la chambre. Des silhouettes sautillent en suivant la cadence de ce bruit. Un homme fait valser deux baguettes sur sa batterie. Les guitares des deux silhouettes qui se tiennent près de lui accompagnent la batterie.

Le club est plein à craquer. Plusieurs dansent au rythme de la musique, tandis que d'autres se tiennent au bar et observent. J'ai soudainement besoin de vérifier ma tenue vestimentaire. Comprenez mon inquiétude, se réveiller comme ça au milieu d'un club bondé, ça surprend un peu, surtout quand on dort en tenue d'Adam. Je suis vite rassuré, je suis décemment vêtu.

J'ai suivi le conseil de Bernard. Je suis debout face à la piste de danse, prêt à rencontrer quelqu'un. Je fais des progrès rapidement.

Je ne peux m'empêcher de constater la présence de nombreuses jolies demoiselles. Face à elles, je suis embêté. Je les regarde, je dirais même que je les contemple. Elles sont aussi belles les unes que les autres. Elles ont, chacune, leurs charmes et leur personnalité.

Une question me déstabilise et risque presque de me faire renverser ma bière. Qu'est-ce que je connais de ces jolies femmes? Absolument rien. Le seul élément qui pourrait m'en faire choisir une plutôt qu'une autre, c'est son apparence physique, la couleur de sa robe, la marque de bière qu'elle déguste ou encore, n'importe quel autre détail futile qui pourrait attirer mon attention ou faire pencher la balance d'un côté ou de l'autre.

Même si je suis là, en espérant faire la rencontre de l'âme soeur, j'ai l'impression de jouer à la loterie ou à pile ou face. L'âme soeur a-t-elle à dépendre de la couleur de sa robe ou de la marque de sa bière? J'espère qu'il y a plus que cela dans une relation amoureuse. C'est en parlant et en apprenant à la connaître que je pourrai découvrir des affinités communes.

Le premier risque à courir, c'est d'aller vers une femme, de lui parler pendant un certain temps, de me rendre compte que ce n'est pas la femme que je cherche, de le lui dire et de m'éloigner pour faire une autre rencontre sans omettre, évidemment, le risque de me faire rabrouer par cette femme. Je suppose qu'à ce stade, je suis prêt à accepter cette éventualité.

Ce qui m'embête, c'est la notion d'un certain temps de communication pour découvrir si effectivement la personne choisie correspondait vraiment à une femme avec qui je me sentirais bien.

163

Si ce certain temps se compte en minutes, ça peut aller. Mais si après cette première rencontre, le temps se compte en jours ou en semaines, alors là, je commence à vivre un malaise. Considérant mes chances de tirer le bon numéro du premier coup à cette loterie amoureuse et sachant que je suis du genre à m'investir à fond dans la relation, je commence à paniquer sur le temps que cela pourrait me prendre.

Le fait de ne pas connaître ces dames, au départ, complique vraiment les rencontres. Je préfère attendre de connaître la femme en question pour m'assurer d'un minimum d'affinités, avant d'espérer faire un essai pour une relation amoureuse. De plus, je préfère la rencontrer à l'occasion d'activités que je participe déjà. J'y suis au naturel parce que j'aime ce que je fais.

Je préfère faire moins d'essais avec des chances élevées de réussite que faire plusieurs essais avec de faibles chances de réussite. C'est une façon de me sécuriser un peu plus. C'est moins douloureux parce qu'il y a moins de frustrations et de déceptions. Les ruptures me font énormément souffrir. J'ai besoin de me sécuriser afin d'éviter d'en vivre inutilement.

Pour avoir un minimum de connaissances sur la personne du sexe opposé, je n'ai qu'à être patient et à espérer que mes activités et mes loisirs me permettent de faire la découverte de cette personne.

Être patient ne veut pas dire rester dans ma chambre et attendre que cette personne frappe à ma porte. Si mon seul loisir consiste à regarder la télévision ou à écrire, seul dans ma chambre, ma patience risque de se changer, un jour ou l'autre, en impatience et en une interminable attente.

Il n'y a pas de mal à créer l'occasion. Je peux donc sélectionner une série d'activités qui m'intéressent, mais où il y a des possibilités de rencontrer des femmes. Puisque ces activités me plaisent, je les pratiquerai pour mon propre plaisir. Je ne devrais pas être déçu si les rencontres ne se réalisent pas tout de suite. J'accepte qu'il puisse y avoir un certain laps de temps qui s'écoule avant de faire cette rencontre. Ce laps de temps n'est pas défini, c'est l'inconnu.

La prochaine question me déstabilise au point d'en renverser ma bière. Elle me donne le goût de m'asseoir sur le tabouret et face au bar en plus! J'ai pris le temps de parler un peu avec cette autre bière que j'ai commandée avant de vous en faire part.

Qu'est-ce que je fais de ma sexualité entre-temps? La question ne m'incite pas, pour l'instant, à me retourner vers tous ces gens dans le club. Je préfère rester, face au bar, à marmonner encore un peu avec ma bière!

Je viens juste de me rendre compte que je ne me suis jamais posé cette question pourtant si importante. Quand je me pose une question, j'aime bien avoir la réponse: je ne peux plus faire semblant que je ne l'ai pas entendue ou qu'elle n'existe pas. La question est là. Je regarde le fond de mon verre attendant la réponse.

J'ai toujours agi en fonction de principes qui m'ont été imposés par les autres et par la morale de notre société. Je ne connais pas mon état naturel de fonctionnement sur cette question.

Aujourd'hui, je veux me libérer de l'emprise du monde extérieur, vivre en fonction de ce que je suis et comme je suis. Mais cette libération suppose un prix à payer. J'ai maintenant un choix à faire. Ce choix ne dépend plus des autres. Je suis le seul qui est concerné dans la responsabilité d'exercer ce choix.

Cette question, je me souviens l'avoir posée à un religieux à l'époque où j'étais pensionnaire au collège. J'ai eu le sentiment d'avoir ravalé ma question. Je n'ai plus osé la poser à personne, ni même à moi.

Une phrase de Tom me revient en pensant à tout cela.

"Ce que l'on ne règle pas dans l'instant présent finit toujours par nous revenir un jour ou l'autre".

Plus je laisse le temps cristalliser ces événements et plus sera grande la difficulté à retrouver mon naturel. Cette question que j'ai refoulée vingt ans plus tôt devient une montagne à escalader. Pour me simplifier la vie, je peux subdiviser la question pour diminuer l'ampleur de ma difficulté.

Il n'y a pas de réponse magique qui puisse satisfaire tout le monde. La réponse dépend d'un choix personnel, d'une orientation qui est mienne. Il n'existe pas de réponse bonne ou fausse. Elles sont toutes aussi bonnes qu'elles peuvent être fausses.

Une réponse est bonne pour moi, aujourd'hui, dans la mesure où elle s'accorde à mes principes, mes valeurs personnelles et que je suis bien dans ma peau dans son application en mon âme et conscience. Et cette conscience, je ne la définis pas comme une "Conscience Universelle" extérieure à moi, mais comme ma conscience personnelle qui se trouve bien camouflée derrière mes blocages et mes peurs.

Spiritualiser toute chose de ma vie, c'est reprendre contact avec ma conscience personnelle, au risque de remettre en question les principes reçus de mon éducation, d'avoir à dépasser mes blocages et d'être confronté à mes peurs.

Ces peurs me font trembler d'inquiétude. Je me réveille en sursaut, un peu surpris de me retrouver dans mon lit. Je me suis réveillé tôt. Je me lève pour déjeuner. J'ai faim comme si j'avais dansé toute la nuit.

Chapitre 21

Je retrouve Johanne à la cuisine. Elle aussi s'est levée tôt et a commencé à préparer son déjeuner. Je prépare le mien rapidement et m'installe face à elle à la table de la salle à manger.

- Johanne, j'ai une question qui tourne dans ma tête.

- Si elle tourne dans ta tête comme tu as tourné tes oeufs dans la poêle, ça va finir en omelette!

- Qu'est-ce que je fais de ma sexualité en attendant d'être dans une relation amoureuse?

- Avec une question comme cela en te levant, je comprends pourquoi tu as manqué tes oeufs.

- J'ai l'impression que ce sont des oeufs brouillés que j'ai faits.

Une séance de rire nous permet de remplacer le jogging matinal et de bien nous réveiller pour affronter cette journée.

- Johanne, pour répondre à ma question, je dois retrouver mon naturel que j'ai enterré sous toutes les normes que je me suis laissé imposer par la société.

- Et quel âge avais-tu quand tu étais naturel?

- Environ 6 ans. Dès que j'ai commencé à fréquenter l'école, j'ai commencé à épaissir ma carapace.

- Et tu as eu combien de relations sexuelles avant l'âge de 6 ans?

- Ce n'est pas vraiment de cette façon que je voulais aborder la question.

- Heureusement, sinon tu n'as pas fini de manger des oeufs brouillés.

- Mon naturel, je pourrais le découvrir en étant à l'écoute de mon corps.

- C'est comme devenir végétarien.

- Exact. Je peux me forcer à devenir végétarien pour suivre les principes des autres, sans être à l'écoute de mon corps.

- Ou encore, devenir végétarien parce que ton corps réclame de moins en moins de viande, parce qu'il se sensibilise à d'autres habitudes de vie.

- Tout repose sur une écoute attentive de son corps.

- Et dans cette écoute, y a-t-il des limites?

- Mon besoin est confronté aux limites de mon environnement. Si mon corps exprime le besoin de faire du jogging ce matin, le prix à payer est que je vais être mouillé, car il pleut. Cependant, s'il est deux heures du matin et que je fais du jogging dans mon salon, je risque fort d'être confronté à mes voisins et à leurs besoins de dormir paisiblement.

- Et comment ramènes-tu tout cela à ta sexualité?

- J'ai le goût de simplifier et de dédramatiser ma vie. Je suis fatiguée d'une vie complexe et programmée à l'avance comme un ordinateur.

- Et cette simplicité, tu la retrouves comment?

- En exprimant au fur et à mesure ce qui se passe dans le fond de mes tripes et non ce qui devrait se passer dans le fond de ma tête.

- C'est vrai que ça semble simple.

- Il ne reste qu'à passer à l'action.

Le week-end se termine sous une pluie délicate, devant un ciel gris de sagesse et une pluie remplie de tendresse.

Au retour, un arc-en-ciel se dessine dans un ciel en transition. Un soleil encore caché laisse maintenant deviner son arrivée imminente. De grands rayons lumineux se glissent entre les nuages. Il n'y manque qu'une colombe et j'aurais l'impression que la voix de Dieu pourrait retentir du plus profond de ce ciel.

La spiritualité se vit dans cette simplicité. Non pas en essayant de prévoir la météo à l'avance et en changeant ma vie en fonction de ses prévisions, mais en tentant d'apprécier chaque instant de pluie et chaque instant de beau temps. Un instant à la fois.

Quand j'essaie de tout prévoir et de tout planifier, je me retrouve à la plage, sous la pluie, ou à l'intérieur, quand il fait beau. Il est plus simple de suivre la simplicité, l'impulsion du moment présent. À tenter de tout prévoir, je risque d'être déçu.

Au fait, quel temps fera-t-il demain?

Chapitre 22

Johanne et moi retournons à Montréal. Après avoir reconduit Johanne chez elle, je suis allé voir mes deux adorables enfants, Annie et Patrick. Je décide de passer la journée avec eux et de les amener au Vieux Port de Montréal.

Avec difficulté, je réussis à trouver un espace pour stationner mon véhicule. Cette difficulté à stationner un véhicule fait partie de ma vie courante. Tant qu'un événement n'est pas réglé, il revient me taquiner sans cesse.

C'est mon rapport à l'autorité qui me revient inscrit en toutes lettres sur les panneaux: "Pas d'arrêt" "Pas de stationnement" "Permis de résident". Avez-vous déjà essayé de vous justifier ou de vouloir changer les consignes de ces écriteaux?

En essayant d'ignorer l'autorité, elle revient s'inscrire dans le pare-brise de mon véhicule, sous la forme d'une contravention. J'ai définitivement un problème à régler avec l'autorité. Pour l'instant, j'accepte le fait que je n'en sois qu'au stade de tourner en rond plusieurs fois avant de trouver une place, avant d'apprendre à vivre en relation avec cette autorité.

Je me retrouve en ligne pour acheter les billets pour l'activité que nous voulons faire. La file d'attente diminue. J'arrive au comptoir. J'hésite devant le regard de cette jolie demoiselle. J'achète les billets, on échange quelques paroles. Je colle au comptoir, j'invente quelques questions pour y rester plus longtemps.

Je quitte le comptoir un peu à regret, un peu confus. Je rejoins les enfants pour faire la randonnée. Pendant que le Vieux-Montréal défile sous nos yeux, j'en profite pour faire le point sur ce qui se passe. Je suis dans une excursion avec mes enfants, mais je ne suis pas là avec tout mon coeur. Une partie de moi est restée au comptoir.

Je ne me sens pas honnête envers mes enfants et envers la relation que j'aie avec eux. En ayant une partie de ma tête ailleurs, je ne peux apprécier tout le plaisir du moment présent avec eux. Et cette autre partie de moi, qui n'est pas là, ne peut apprécier l'instant qui n'est plus.

En prenant conscience de cette confusion et de cet écart, je veux me racheter. Je comprends que cette jolie demoiselle m'a fait un certain effet. L'échange que nous avons eu fut suffisant pour que le goût de la connaître prenne forme.

Qu'est-ce que j'ai fait ou oublié de faire qui me laisse encore collé à cette rencontre? Premièrement, il y a cet intérêt à connaître un peu plus cette femme. Ce que j'ai fait fut d'inventer des questions pour rester plus longtemps au comptoir (ça ressemble étrangement à tourner autour du pot). Ce que je n'ai pas fait, c'est d'exprimer mon désir de la connaître un peu plus. Afin de récupérer ma tête et de profiter de ces précieux instants avec mes enfants, je me suis promis qu'après l'excursion, j'irais revoir la belle inconnue.

J'ai passé une belle journée avec Annie et Patrick. Je réalise aujourd'hui, après avoir passé du temps en leur présence, que trop souvent ma tête était un peu partout, sauf au bon endroit. Il est évident que lorsque cette tête se promène d'un bureau à l'autre, je suis moins réceptif à la spontanéité et aux commentaires de mes enfants. Lors d'une balade en chaloupe, comment aurais-je pu voir ce poisson sortir de l'eau quand je révise mentalement les derniers états financiers ou que je prépare cette présentation à l'intention du gérant de banque?

C'est non seulement de corps, mais d'esprit que je désire être avec mes enfants. L'excursion se termine dans un plaisir intense. Ce qui me ramène à ma nouvelle réalité et à l'engagement que je viens tout juste de prendre avec moi-même: retourner au comptoir pour exprimer à cette dame tout l'intérêt que je lui porte.

À la descente de l'autocar, j'hésite j'avance commence à tourner à droite reviens m'en retourne. Ça paraissait simple pourtant dans l'autocar. Dans l'exécution, j'ai plutôt l'impression de me faire exécuter.

Je m'éloigne du comptoir avec les enfants. La frustration est grande. À prime abord, je n'ai pas réalisé ce qui se passait. Mais maintenant que j'en prends conscience, j'ai la responsabilité de faire quelque chose.

En plus de ma frustration, je suis à mon point de départ. Je suis partagé entre deux envies. J'ai un choix à faire, soit celui d'accepter d'oublier cette dame, sans regret ou sinon, de retourner lui parler.

Je décide de tenter un autre essai. Je demande aux enfants de m'attendre quelques instants, le temps que je me libère l'esprit. Je passe devant le comptoir échec je reviens sur mes pas, je ralentis devant le comptoir et je m'approche elle est au téléphone! J'oublie cela et que je m'éloigne, tandis que je m'éloigne c'est encore un échec!

Je retourne auprès des enfants. Je décide de respirer un peu, par le nez. On décide ensemble du prochain itinéraire. Comme par hasard, le trajet nous ramène devant ce fameux comptoir. Je décide d'y faire une halte.

Mon état d'âme n'est plus le même. Je réalise que devant mes enfants, j'ai toujours joué le rôle du père "parfait". J'ai tendance à cacher mes imperfections et à m'isoler.

J'ai le goût de dédramatiser la situation et d'apprendre à en rire. Je regarde Patrick devant moi. Si je me cache dans mes difficultés, comment puis-je être un bon éducateur pour lui? S'il ne voit que mes bons coups, c'est facile pour lui de me placer sur un piédestal. Je sais par expérience, qu'à chaque fois que l'on me place sur ce podium, je finis par en tomber. Cela me fait mal, très mal.

Peu importe ce qui va se passer, si je prends le temps de le vivre sans rien camoufler, cette expérience peut nous permettre, à Patrick et à moi, de nous rapprocher encore plus et de nourrir cette relation qui m'est si chère et ultérieurement, de l'aider, lui.

Lorsqu'on parle d'éducation d'un père à son fils, quoi de mieux que la discussion commence par un fait vécu, peu importe le résultat. De plus, si j'espère que mon fils conserve cette capacité de tout me dire sans rien me cacher, il faudrait peut-être que le moi, son père, fasse de même! Après tout, le meilleur enseignement se donne par l'exemple.

Devant une expérience difficile, j'ai tendance à vouloir aseptiser mon environnement. Je voudrais être seul avec cette dame. J'ai peur d'avoir des témoins de mes difficultés et surtout peur de me faire interrompre. J'ai peur de ne pas avoir l'attention complète de mon interlocutrice. Une peur énorme qu'elle me demande de répéter plus fort ce que j'ai à dire. C'est déjà difficile de m'exprimer une fois, s'il faut en plus que je répète!

La distance entre le comptoir et notre groupe diminue. Cette distance est moins difficile à traverser que je l'avais imaginé. C'est même un plaisir pour moi de me rendre si loin, si facilement. Une sensation d'euphorie me noue l'estomac. En prenant le temps d'aller jusqu'au bout, c'est comme si dans ce genre d'expérience, mon corps produisait à l'interne des drogues naturelles. Au risque que le téléphone vienne nous déranger, que les enfants soient turbulents ou que d'autres clients s'approchent de nous, j'arbore un nouveau sourire que je ne me connaissais pas et arrive au comptoir.

- Bonjour! Tantôt j'ai oublié de vous poser une question?

- Oui, laquelle?

- Si je vous laisse mon numéro de téléphone, est-ce qu'il y a des chances que vous m'appeliez?

Avec un beau sourire accompagné d'un peu de timidité, elle me répond.

- Je suis déjà prise mais c'est très flatteur! Je vous remercie.

L'expérience s'est avérée plutôt plaisante. Je me sens libéré de mon comportement obsessif. Je sais maintenant que ce soir, je me coucherai satisfait d'avoir osé vérifier plutôt que frustré de m'être laissé paralyser par mes peurs, avec la satisfaction d'avoir pu compléter la journée avec les enfants et d'avoir été présent pour eux.

Cette expérience me fait grandir. Patrick m'a demandé de lui expliquer ce qui s'est passé. C'est avec plaisir que j'ai pris du temps avec lui pour parler de mon approche et de ce qui s'en est suivi.

Ce qui m'a frappé le plus, c'est la réaction de cette jolie demoiselle. Elle n'a pas été frustrée par ma demande. Au contraire, elle l'a reçue comme un compliment. En me permettant de vivre avec simplicité toutes les expériences de ma vie, je m'enrichis et il se passe quelque chose de magique dans mon environnement.

Je ne peux vous dire ce qu'elle a pensé de mon approche, puisque je n'ai pu lui remettre mon numéro de téléphone mais j'aime croire que cela lui a fait une fleur. Dans d'autres situations, il est possible que certaines personnes eussent moins apprécié ce que j'ai fait.

Si, à vivre et à m'exprimer tel que je suis apporte un peu de soleil au-dessus de moi, en plus de m'apporter de la joie, je me demande pourquoi j'ai attendu trente cinq ans pour agir ainsi.

En quittant le Vieux Port de Montréal, nous décidons de faire un arrêt dans un restaurant pour prendre un rafraîchissement et échanger sur nos expériences de la journée.

Notre petit groupe s'installe à une table, un peu à l'écart des autres. J'aime bien prendre un peu de temps avec les enfants avant de terminer une journée, afin que l'on puisse partager sur ce qu'on a aimé et sur ce que l'on n'a pas aimé. Ce faisant, je me sens tellement plus proche de mes enfants.

Si les enfants ont vécu une déception ou une frustration, j'ai besoin de l'entendre et de leur laisser une place pour en parler. J'ai pris conscience de l'importance de ce temps d'intimité avec mes enfants. S'il s'est passé un événement ou un incident qui peut avoir frustré quelqu'un, je veux que l'on s'accorde une chance pour en parler.

Ce temps n'est pas seulement pour les enfants. J'ai une place à y prendre moi aussi. Tout le monde doit s'impliquer dans cette réunion. Si nous avions eu un invité, il aurait également eu sa place. Pendant nos échanges qui se déroulent gaiement, je remarque que je me laisse souvent distraire par la serveuse.

Les enfants ont pris des jus. Moi, je prends un café. Notre conversation est très intéressante et je refais le plein de café. Au moment de partir, la serveuse me remet l'addition. Je vérifie la facture et je me rends compte qu'elle me charge deux cafés. Je n'ai jamais payé mon deuxième café dans ce restaurant!

Je me lève pour régler l'addition. J'exprime à la serveuse ma déception et ma frustration d'avoir été facturé pour deux cafés. Je ne veux pas garder cette frustration pour moi seul. Cela fait partie de mon nouveau mode de vie de dire au fur et à mesure ce que je ressens.

Je m'attendais à vivre une libération ou une satisfaction. Pourtant, après avoir reconduit les enfants, je reste avec un drôle de goût amer en repensant à cette expérience.

À chaque fois que je me laissais distraire par la serveuse, l'image d'une ancienne relation amoureuse remontait. Elles avaient les mêmes caractéristiques: même coupe de cheveux, même longueur, même couleur, même rouge à lèvres, même sourire, même peau basanée et même éclat dans les yeux.

Cette fin de semaine est spéciale. C'est le premier anniversaire de ma rencontre avec cette ancienne relation, mais en même temps je fête déjà six mois de rupture! Un double anniversaire et pour des motifs opposés!

Même Patrick m'en a fait la remarque tellement elle y ressemblait. Lorsqu'une fois rendu à la caisse, j'ai exprimé ma déception pour le deuxième café facturé, j'ai réalisé que je l'avais brassée plus qu'elle ne le méritait. Ma réaction était disproportionnée à l'erreur commise. En même temps, je lui ai exprimé ma frustration au sujet d'une rupture dont elle n'est même pas responsable!

Je n'ai pas le goût de me culpabiliser pour ce que j'ai fait, mais maintenant que je prends conscience de mon erreur, je me sens mal de retourner chez moi, sans rien dire. La seule façon de me libérer de ce malaise est de retourner à ce restaurant et d'expliquer à la serveuse ce qu'il s'est passé.

Je peux vous garantir que pendant que mon véhicule se dirige vers le restaurant une partie de moi-même me dit: "NON tu ne retournes pas là-bas? c'est pas vrai"! Elle a écouté ce que j'avais à dire avec indifférence. Durant mon absence, elle avait vérifié auprès de son patron pour le deuxième café. Mais je ne suis plus là pour le café, je suis là pour rétablir l'intention de mon geste. C'est ma difficulté de vivre à retardement, comme je le fais trop souvent. Quand je reviens pour m'expliquer, l'autre personne est rendue ailleurs! La relation demande d'être synchronisée avec ce que je ressens et avec ce qui se passe.

Ça n'a pas été facile de retourner à ce restaurant. Je me sens heureux et satisfait d'avoir trouvé le courage de le faire. Même si j'ai été reçu avec indifférence, m'exprimer fut important pour moi. Je ne suis pas parfait, mais au moment où je prends conscience d'une erreur, il est important que je puisse rétablir les faits le plus respectueusement possible.

En faisant l'expérience de vivre à retardement, cela me donne le courage de le faire au fur et à mesure. C'est tellement plus simple. Ça m'évite d'avoir à faire des détours pour éclaircir les choses. J'ai le goût d'être en paix avec moi-même et je ne veux plus laisser traîner de telles choses en dedans.

Je prends conscience de l'importance d'exprimer ce que l'on ressent au fur et à mesure. Le plus important c'est de m'assurer de la légitimité de ce que j'exprime. Cette frustration, cette colère, appartient-elle à la relation que j'ai avec mon interlocuteur ou provient-elle de mon vécu avec une autre personne?

Chapitre 23

Je rentre à l'appartement, repu de ces dernières expériences et satisfait de mon cheminement. Cette fatigue que je ressens, je la connais bien. Une période de transition après avoir franchi un pas de plus sur le sentier de la liberté, une saine fatigue de m'être dépassé encore un peu plus; celle que l'on ressent après avoir eu à respirer fort pour vaincre certaines peurs.

Quoi de mieux qu'un bon grand verre d'eau glacée sur le balcon pour mieux apprécier cette satisfaction. Je saisis un grand verre et j'y fais glisser tranquillement ce liquide limpide dans son ouverture. Le bout de mes doigts commence à sentir la température qui s'abaisse. Le verre suinte doucement. Les gouttelettes s'étirent, puis se faufilent le long du verre. À l'extrémité, c'est la chute! J'entends cette goutte d'eau se fracasser sur le parquet!

Doucement pour en savourer toute la fraîcheur, je dirige ce verre vers mes lèvres avides de sa présence. Le liquide magique disparaît peu à peu vers d'autres lieux, vers un autre désert à irriguer.

Je me verse un autre verre d'eau. Mais je sais fort bien que ce deuxième verre n'aura jamais la beauté et la sensualité du premier. À force d'essayer de vivre toute la douceur du premier verre, je risque d'être déçu et frustré de la qualité du second. J'ai le goût de vivre, non plus d'essayer de revivre.

Je pourrai apprécier ce deuxième verre uniquement lorsque j'aurai la capacité de l'accepter tel qu'il est et pour ce qu'il est. Je n'aurai donc pas la chance de connaître toute la saveur de ce second verre. Je me retrouve donc sur le balcon. En apercevant Tom, confortablement installé près de la rampe, j'échappe le verre sur le plancher!

- C'est une manie chez toi d'échapper les verres?

- Je ne m'attendais plus à te revoir.

- Pour le peu de temps que nous avons passé ensemble chez Éric, il est normal que je revienne faire mon tour.

- Avec les commentaires que tu as formulés alors, j'étais convaincu que j'en aurais pour une bonne dizaine d'années avant que tu reviennes.

- Tu as une grande confiance en toi à ce que je vois.

- J'ai tellement de choses à expérimenter et à vivre.

- Tu as tendance à disparaître dans l'action à chaque fois que tu entrevois une piste de travail ou une nouvelle expérience à vivre.

- C'est bien, non?

- Ça ne te laisse pas beaucoup de temps pour t'accepter là où tu es. Tu veux tout changer instantanément.

- C'est ça vivre l'instant présent, non?

- Ne pas confondre "vivre l'instant présent" et "changer instantanément". Dans le deuxième cas, tu risques de finir comme ton verre d'eau et j'aurai à te ramasser à la petite cuillère!

- Si je m'en tiens à l'instant présent, te revoir, mon cher Tom, après une autre année d'absence m'a surpris, mais en même temps, c'est une surprise agréable.

- C'est agréable à entendre et c'est différent de ce que j'ai pu entendre de toi tantôt.

- Et qu'est-ce que j'ai dit?

- En disant que tu ne t'attendais plus à me revoir, ça pouvait laisser place à interprétation sur tes intentions réelles.

- J'avais peur de ne plus te revoir.

- Et derrière cette peur, que retrouves-tu?

- En réalité, c'est le besoin de te revoir.

- Le besoin de me revoir est une affirmation, tandis que la peur de ne plus me revoir est une négation, une acceptation défaitiste que ton besoin ne sera pas satisfait. Et quel est le meilleur moyen pour satisfaire un besoin?

- C'est de l'exprimer d'une façon claire, nette et précise à la personne concernée.

- Bon, j'attends.

- Tu attends quoi?

- Que tu oses expérimenter l'expression claire, nette et précise de ton besoin.

- Tom, j'ai le goût que tu passes la soirée avec moi sur le balcon, j'ai besoin de refaire le point un peu et ta présence serait appréciée.

- Je ne peux pas, j'ai un engagement ce soir.

- Tu as un engagement?

- Oui, ce soir je vais à la discothèque avec Éric.

- Avec Éric? Mais tu ne le connais même pas.

- Tu oublies que tu me l'as présenté et que j'ai passé quelques instants chez lui. Je ne prends pas deux ans comme toi avant de tenter d'établir une relation avec quelqu'un.

- Je me sens abandonné et rejeté.

- Je te félicite de pouvoir t'exprimer, mais je ne suis pas responsable de satisfaire tes besoins pour autant.

- Je ne m'attendais pas à cela.

- Tu avais encore des attentes. En plus de savoir que tu dois t'exprimer clairement et avec précision, tu peux maintenant rajouter que tu as à le faire sans attente, sans arrière-pensée.

- C'est vrai que je m'attendais à ce que tu me dises oui; je suis déçu de te voir sortir avec Éric.

- Déçu que je te dise non, déçu que je sorte ou déçu que ça soit avec Éric?

- J'ai l'impression de recevoir trois couteaux en plein ventre.

- Ça ressemble à trois "oui" en ligne.

- Ça semblerait, effectivement.

- Avant que tu me croises, qu'allais-tu faire?

- J'allais savourer un grand verre d'eau sur le balcon et apprécier les satisfactions de cette journée.

- Et maintenant, que se passe-t-il?

- La satisfaction est tombée à l'eau et le verre d'eau sur le parquet.

- Un rien t'ébranle!

- Tom, tu n'es pas rien, tu es important pour moi. Quand je t'ai vu, malgré ma surprise, cela a créé chez moi un sentiment d'une grande intensité, ainsi qu'une euphorie intérieure.

- Et maintenant que tu sais que je suis sur le point de partir?

- J'ai l'impression d'être devant un grand vide, un néant, l'impression de perdre quelque chose, que tout est fini.

- Et qu'as-tu l'impression de perdre?

- Tom, ton arrivée a créé une intensité qui éclipse la satisfaction du début. Cela m'amène à vouloir vivre autre chose. Ta présence, la relation que j'ai avec toi, est enrichissante, dynamisante. J'aurais le goût de m'accrocher à cette intensité. Le fait de savoir que tu repartes aussi vite créé un grand vide chez-moi.

- C'est difficile de te contenter de ce que je t'offre, tu en veux toujours plus, malgré que tu sois bien dans ta peau! Quand tu es seul, toute possibilité d'être en relation avec quelqu'un crée des attentes, des besoins.

- Je peux bien me sentir instable!

- Tu as à apprécier ces petits instants de relation et de bonheur pour ce qu'ils sont. La vie est une série de changements. Ta stabilité est ta capacité de t'adapter à ces différentes intensités.

- Devant ces changements rapides, j'ai l'impression de perdre quelque chose.

- Avec mon départ, tu perds ma présence où mon bref passage t'a fait gagner quelques instants de relation supplémentaire? Ça demeure relatif au fait de se voir comme un gagnant ou comme un perdant.

- J'ai encore beaucoup de choses à méditer.

- Profite de cette soirée pour le faire. Je te souhaite une belle soirée je vais être en retard pour mon rendez-vous avec Éric!

- Heureux de t'avoir croisé, même si tu ne restes pas longtemps. Tu salueras Éric de ma part?

Chapitre 24

Encore perturbé par le départ de Tom, je tente de philosopher sur le fait d'avoir cassé un verre. Ces bouts de verre me ramènent à tous ces gens qui ont disparu de ma vie. Je ramasse les restes d'un verre qui a déjà eu la capacité de retenir cette eau étendue sur le parquet. Je cherche un autre verre pour le remplacer. Aucun ne semble pouvoir le remplacer. Ils sont différents soit trop grands soit trop petits.

Le verre brisé représente un état de perfection sublime, un souvenir précis. Rien ne peut prendre sa place. Je suis incapable d'accepter la différence des autres verres.

Est-ce que je me laisse la chance de découvrir ces autres verres, d'apprendre à les connaître? Je pourrai peut-être en découvrir un autre, l'apprivoiser et me sentir bien avec. Il n'est pas facile pour moi d'accepter de faire un bout de chemin avec un autre verre.

Ce bout de chemin ne sera pas le même que celui que j'aurais pu parcourir avec le verre cassé. De toute façon, comment pourrais-je connaître quel chemin j'aurais fait, puisqu'il ne sera jamais parcouru? Ce bout de chemin en sera un nouveau à découvrir. Je dois faire le deuil d'un chemin que je m'attendais à parcourir avec le premier verre et vivre le deuil de mes rêves.

Je suis à la croisée des chemins. Un chemin qui se termine avec un verre cassé. Ce chemin était fort, intense et savait porter mon pas pesant. J'ai un autre chemin à découvrir avec ce nouveau verre. C'est un chemin inconnu, sinueux et qui semble incertain, une petite route à défricher, à ouvrir sur la vie qui est si fragile.

En jetant ces morceaux de verre, j'ai l'impression de les abandonner, de les laisser tomber au fond d'un grand trou immense. Un gouffre profond où se retrouvent d'autres verres brisés. J'ai abandonné beaucoup de verres dans le fond de ce grand vide.

J'ai voulu remplir ce vide, pour l'oublier, ne plus le voir ne plus le sentir. Malgré tout, ce vide me suit sans relâche. Il fait partie de moi. À chaque fois que je brise un verre, il revient me hanter. Il tasse tout ce que j'y avais placé pour le remplir et me montre tous ces bouts de verre que j'ai abandonnés à regret et à contre courant. Tous ces bouts de verre, je les ai aimés. J'avais créé une relation avec eux. En les regardant, j'ai l'impression qu'une partie de moi se retrouve au fond de ce vide. Je me sens lié à tous ces bouts de verre par l'attachement qui nous a unis, un attachement qui a été, qui fut et qui sera.

Ce gouffre existe, mais il y a plus. C'est ce déchirement entre l'attachement qui existe et qui grandit maintenant avec de nouveaux verres et la relation que je ne peux plus nourrir, ni vivre avec des bouts de verre brisés. Je ne peux faire abstraction de tous ces liens qui existent encore.

À force de chercher, je finis par me choisir un autre verre, un nouveau compagnon de route pour un autre bout de chemin. Avec ce nouveau compagnon d'armes, je me retrouve finalement sur le balcon. Je l'ai choisi à cause de son originalité et pour son coté humoristique discret.

Je suis la somme de tous mes antagonismes, de mes paradoxes; un mélange de l'un et de l'autre à la fois. Il y a de ces moments où je me situe exactement entre les deux; à cet endroit où deux mondes de forces égales s'annulent. Je n'existe plus au milieu de ce néant. L'intensité des deux paradoxes existe mais je ne peux plus la sentir. Je ne réussis qu'à sentir les extrêmes. Plus je m'éloigne de ceux-ci, plus le vide grandit.

Si je pouvais ressentir ce qui se passe dans ce vide, je pourrais peut-être en arriver à ressentir ces deux intensités en même temps. Le néant pourrait-il être deux fois plus intense qu'une seule de ces extrémités?

Je peux, d'une façon obsessionnelle, toucher à tous les extrêmes de ma vie pour remplir ce vide, mais mon intensité réelle se trouvera toujours derrière ce vide que j'ai tant fui.

Dans l'intensité des extrêmes, il n'y a que bruit et vacarme, une course folle et effrénée. Dans ce vide intérieur, le plus grand secret y est caché. Cette voix intérieure qui peut me parler, me sécuriser et me diriger. Cette voix qui peut me bercer et me réconforter.

La voix du coeur n'est pas là pour imposer, diriger ou contrôler, mais juste pour me dire qu'elle m'aime. Au lieu de faire silence pour l'écouter, je me sens attaqué, envahi par mes antagonismes et par mes choix extrêmes. Pourtant, à partir de cet amour de soi, l'harmonisation de nos voix peut créer une communication intense qui n'a plus besoin de mots pour l'exprimer, mais qui ne demande qu'à vivre.

Après ces quelques instants de réflexion, seul sur le balcon, tout en dégustant et savourant ce grand verre d'eau, je vois poindre un nouveau besoin à l'horizon. J'ai le goût de quitter mon balcon et d'aller terminer la soirée avec quelqu'un.

L'idée d'aller rejoindre Éric et Tom à la discothèque ne m'enchante guère trop de bruit trop de monde. J'ai le goût de partager un instant d'intimité avec quelqu'un. Un face à face où l'on peut se voir et s'entendre l'un et l'autre.

Ces moments d'intimité sont importants pour moi. Je ne veux pas les remplir avec n'importe quelle activité. Si je vais à la discothèque, mon besoin d'intimité risque d'être enterré dans le tumulte de l'action. Je ne veux pas jouer un rôle pour en arriver à satisfaire cet instant d'intimité entre deux personnes et je ne veux pas vivre cet instant avec n'importe qui.

Pour répondre à ce besoin d'intimité, je me dois de connaître la personne au préalable. Au lieu de tenter de choisir une activité qui pourrait m'amener à cet instant recherché, je décide de choisir la personne avec qui je veux partager l'intimité que je recherche.

La personne avec qui j'ai le goût d'être en cet instant, c'est Monique. Nous avons participé à une fin de semaine de séminaire ensemble, puis nous nous sommes croisés lors de diverses conférences, par la suite. Après trois mois d'absence, je l'ai revue à une fête organisée en l'honneur de Manon, une amie commune.

Le fait de l'avoir revue dans ce groupe trois mois après, a créé chez moi un besoin de la revoir de façon plus formelle, plus intime. Pendant cette soirée, je lui avais demandé son numéro de téléphone.

Je place mon téléphone à proximité. Je localise son numéro de téléphone. J'hésite avant de trouver le courage de m'exécuter. Croyez-moi, le terme est bien choisi. Je me sens attaché à ma chaise, face à un peloton d'exécution. Vous pouvez supposer que cette comparaison est hors proportion, mais c'est vraiment de cette façon que je me sens.

Ma main gauche se rapproche du récepteur pendant que ma main droite tient fébrilement son numéro de téléphone. J'ai habituellement une très bonne mémoire. Le fait de seulement visualiser un numéro de téléphone pendant quelques secondes, est suffisant pour que je puisse le composer. Face à cette tension qui m'étreint, je ne me fais plus confiance. Je préfère garder les yeux rivés sur mon bout de papier.

Je commence nerveusement à composer son numéro. Le dernier chiffre est le plus difficile à faire. Ça va pour les six premiers chiffres, mais quand le tour du septième arrive, la difficulté s'amplifie. Les premiers chiffres ne portent pas à conséquence. C'est toujours le dernier qui nous met en contact avec la sonnerie. Après avoir composé ce dernier chiffre, je ne peux plus faire demi-tour.

J'entends la sonnerie après quatre coups, qui me paraissent quatre siècles je vous offre ici un résumé de tout ce qui m'est passé par la tête:

"Je commence par être insistant il est temps que je raccroche". Ça c'est une façon de m'effacer. J'essaie d'exprimer mon besoin tout en espérant qu'elle ne sera pas là. Je ne peux pas me sentir coupable puisque j'ai essayé, mais j'espère qu'un événement extérieur me permettra de fuir la pression d'aller jusqu'au bout.

"Elle est sous la douche elle va arriver au téléphone à bout de souffle et je vais me faire passer un savon". Avec ma peur d'être dérangeant, j'ai toujours l'impression qu'une tornade va venir me soulever de terre. En demeurant figé sur ma chaise, c'est ma façon d'éviter de me laisser emporter par cette tornade.

"Elle est sous la douche en sortant rapidement, elle va passer devant la fenêtre de son salon, sans se rendre compte qu'elle est toute nue et pendant que je vais me faire passer un savon, elle va exciter tous les voyeurs de la rue par la suite, elle risque de se faire violer par ma faute". J'ai toujours peur qu'en posant un geste ou en prononçant une parole devant une femme, d'avoir une influence négative sur sa vie sexuelle qu'elle va subir un événement par ma faute. Je me culpabilise et dramatise rapidement. Quand il n'y a rien pour me faire sentir coupable, j'imagine des scénarios qui pourraient justifier mes peurs.

"Elle est sous la douche en sortant toute mouillée, elle va glisser sur le parquet et se blesser, par ma faute". La peur d'être la cause d'un viol m'amène à espérer un accident. C'est plus facile pour moi de supporter le poids de l'annonce d'une jambe cassée que celle d'un viol.

"Elle est sous la douche en sortant toute mouillée, elle glisse sur le parquet et va mourir des suites de ses blessures". Le dernier scénario réussit, malgré tout, à trouver un dénouement tragique. Avec tous ces drames imaginaires, je comprends pourquoi Tom veut m'aider à dédramatiser ma vie.

"Elle est avec un ami dans la phase des préliminaires elle va me raccrocher violemment au nez, ça va lui couper l'inspiration, elle va m'en vouloir longtemps et un jour, la tornade va s'abattre sur moi". J'ai toujours l'impression de déranger. J'ai peur du conflit que cela peut engendrer.

Je me suis imaginé encore beaucoup d'autres choses avant que la cinquième sonnerie cesse. La voix de Monique vient remplacer la sonnerie.

- Bonjour

- Bonjour Monique j'espère que je ne te dérange pas?

- ... absente, au son du timbre...

En temps normal, j'ai une bonne écoute. Par contre, j'ai tellement hâte de savoir si je dérange, si elle est blessée, et de savoir si tout va bien, que je n'ai pas réalisé immédiatement que je parlais à son répondeur. Je préfère raccrocher et ne pas laisser de message.

Laisser un message est une responsabilité qui m'est difficile à assumer. En laissant un message, je ne contrôle plus la situation, je ne sais pas si elle va me rappeler, ni quand? Et si elle ne me rappelle que demain, au moment où c'est moi qui prends ma douche... C'est pour éviter tous ces malencontreux incidents que je place mon téléphone dans la salle de bains lorsque je prends ma douche.

Je mets au moins dix minutes à reprendre mon souffle et à me calmer. J'ai été trente ans à penser que j'étais asthmatique alors que je n'étais qu'essoufflé à refouler mes émotions. Après un instant de récupération, je me dis qu'elle est peut-être revenue à la maison. Le manège recommencera ainsi à plusieurs reprises.

Après trois "conversations" avec son répondeur, je me risque à laisser un message. De cette façon, j'espère arrêter mon cirque qui commence à me coûter beaucoup d'énergie. Après tout, c'est l'une des fonctions d'un répondeur d'enregistrer les messages?

Je reste calmement assis sur ma chaise à contempler ce beau ciel noir. Malgré l'échec de partager un instant d'intimité avec Monique, je n'ai pas le goût de remplir ce vide avec n'importe quelle activité. Je préfère laisser aller les événements. Je me sens bien d'être là je me sens heureux juste d'être là tout simplement.

Je me retrouve la tête entre deux étoiles, près d'une galaxie inconnue. Soudainement mon asthme revient m'envahir. La sonnerie de mon téléphone vient me sortir de mon ciel noir.

J'avais complètement oublié avoir laissé un message à Monique! C'est sûrement elle qui me rappelle. Je cherche le téléphone sans trop savoir où je l'ai enterré. Je me lance à la recherche du récepteur. Je ne veux pas qu'elle pense que je ne suis pas là.

- Allô! Oui!

- Tu m'as l'air essoufflé, étais-tu dans la douche?

- Non, mais je reviens d'une lointaine galaxie

- Tu m'as laissé un message de te rappeler?

- Oui, j'ai le goût de te voir. Veux-tu qu'on aille prendre un café au restaurant?

- Ça va. À quel endroit veux-tu que l'on se rencontre?

Face à mon hésitation je réalise un détail un peu embêtant. J'ai le goût de la voir, mais j'ai surtout le goût d'un face à face intime avec Monique! Dû à certaines "technicalités", je ne peux pas l'inviter chez moi. Si je veux

194

être sincère, ce n'est pas au restaurant que je veux la rencontrer, mais chez-elle.

Je fige encore une fois de peur de m'imposer ou gêné de m'inviter chez-elle. La réponse que j'aurais voulu donner ne fait pas partie du choix des réponses disponibles. Le pire, c'est que c'est moi qui me suis mis dans ce cul de sac. C'est moi qui ai parlé du restaurant, alors que je voulais la rencontrer chez-elle!

Face à mon hésitation à la question de Monique, je choisis de lui parler avec sincérité.

- Monique, je suis gêné et embarrassé J'ai parlé de restaurant, mais ce n'est pas vraiment ce que je voulais dire. Si je veux être honnête avec toi, en réalité j'avais le goût de passer prendre un café chez-toi.

- C'est une bonne idée on pourrait s'installer sur le balcon et prendre un peu d'air en même temps.

- Si je passe à vingt heures, ça te convient?

- Je t'attends.

Je me prépare pour cette rencontre. Je pense à mon hésitation, au téléphone, avec Monique. Ce genre de situation où je fige face à des choix qui ne correspondent pas à mon besoin réel est fréquente. Pour m'aider à dédramatiser la situation, je me suis inventé un jeu bien rigolo, lequel consiste à faire fi de mon malaise et de présenter simplement ce qui m'embarrasse. Je préfère jouer ce jeu qui diminue la tension plutôt que de m'imposer une réponse qui ne serait qu'un second choix dans ma liste de besoins. Ce jeu finit souvent par un rire qui se partage bien.

Si je ne me donne pas la chance d'obtenir le premier choix, j'ai l'impression de me tirer une balle dans le pied. Au nombre de fois que je l'ai fait, je comprends maintenant pourquoi j'ai eu besoin de toutes sortes de béquilles pour avancer dans la vie.

Pourquoi ai-je honte d'avoir des besoins face aux autres? Pour me sentir vivant j'ai à accepter d'avoir des besoins! J'en prends conscience et quelque chose de magique arrive.

Je suis devenu comme un enfant qui prépare sa liste de cadeaux pour le Père Noël. Même si le Père Noël n'est pas responsable de m'offrir toute la liste, c'est un plaisir de dresser cette liste et de prendre conscience que ces besoins existent et qu'ils m'appartiennent.

Je trouve difficile de dépendre de la bonne volonté du Père Noël pour répondre à mes besoins. Je me souviens qu'un jour, j'ai fait le Père Noël pour mes enfants. Je regardais cette liste qu'ils avaient si soigneusement préparée. J'y faisais mon choix de cadeaux à leur offrir. Ce n'était pas facile d'avoir à me limiter. J'aurais bien aimé leur offrir la liste au complet en plus de quelques autres cadeaux achetés impulsivement.

C'est difficile d'accepter que Noël n'arrive qu'une fois par année. Pourtant, je me souviens avoir vu devant un terrain de camping, un écriteau qui mentionnait: "Noël des campeurs" ils fêtent leur Noël en plein été parce qu'ils n'ont pas accès à cette fête à cette période précise dans l'année!!! L'idée n'est pas bête.

Depuis ce jour j'ai décidé que je serais mon propre Père Noël. Je me fais ma liste de besoin et je deviens responsable de me gâter moi-même. De plus, j'ai décrété que ce serait Noël à tous les jours!

J'ai le goût de vous partager ma petite liste de cadeaux. Cette liste est personnelle. Il incombe à chacun de nous de la créer et de la réaliser. Cependant, ne vous en faites pas, je ne suis pas possessif. Vous pouvez même y emprunter de mes idées sur ma liste:

- besoin d'aimer et d'être aimé;
- besoin de tendresse;
- besoin d'affection;
- besoin d'intimité;
- besoin d'intensité;
- besoin de liberté (d'expression, de choix);
- besoin de rire;
- besoin d'attachement;
- besoin de sensualité;
- besoin d'appartenance;
- besoin de toucher et d'être touché;
- besoin d'être écouté et entendu;
- besoin d'écrire et d'être lu;
- besoin d'être reconnu;
- besoin de vivre l'impulsion du moment;
- besoin de contemplation;
- besoin d'authenticité et de sincérité;
- et tout autre besoin qui peut fleurir d'une façon impulsive et imprévue.

J'ai le goût de remplir toute la liste, mais pas à n'importe quel prix! Je veux respecter mes valeurs personnelles, mon rythme, mes limites, le rythme et les limites de mon entourage. Tout cela est un jeu bien rigolo que je me suis inventé.

Pendant longtemps, j'ai été un bourreau de travail. Aujourd'hui, j'ai développé une certaine appréhension envers le mot "travail". Quand j'entends la phrase "Il faut travailler sur soi", j'en ai la chair de poule. Face à l'expression "il faut" je me sens brimé dans ma liberté de choisir. Travailler sur moi, ça fait trop sérieux, trop austère, trop rigide. Dans le travail, je crée des obligations et des objectifs qui deviennent des carcans et des boulets aux pieds. Je cherche à performer par rapport à un résultat à obtenir.

Aujourd'hui, je préfère jouer avec moi et avec la vie. Je me regarde aller, puis je m'invente des jeux pour mieux me découvrir. J'accepte de me tromper et de tomber toujours au même endroit, d'en rire quand c'est drôle ou d'en pleurer quand c'est souffrant.

Chapitre 25

Quand je suis heureux et satisfait, quand je suis bien dans ma peau, tout paraît beau et féerique, tellement plus simple, même la circulation automobile! Tout devient facile et je perds toute agressivité. Je n'ai plus à maugréer contre les autres automobilistes. Comme par magie, tous les feux de circulation tombent au vert.

Quand je prends le temps de dire les vraies pensées qui fleurissent en moi, de toucher à l'impulsion de cet enfant en moi, je me sens au printemps de ma vie, un perpétuel printemps.

Quand je fais de la place à ces pensées qui m'habitent, je réussis à trouver de l'espace pour stationner plus facilement. Je n'ai plus à dépenser inutilement de l'énergie à faire trois fois le tour du pâté de maisons ou à parcourir toutes les rues de la ville. Cet espace de stationnement se trouve là, juste devant moi.

Au lieu de descendre dans l'abîme de mes remords, je monte gaiement l'escalier qui mène à l'appartement de Monique. Je frappe gentiment à sa porte, au lieu de me taper dessus et de me reprocher toutes sortes de choses, sans me morfondre, ni figer dans mes peurs.

Une porte accueillante s'ouvre. Je peux apercevoir son doux visage.

- Salut! Tu es en avance.

- Quand je sais où je vais et que je ne tourne pas en rond, c'est plus rapide.

- As-tu tendance à te perdre à Montréal?

- À Montréal, non dans ma vie un peu plus souvent.

- Prends le temps d'entrer.

- Merci.

- Passe au salon. Entre-temps, j'apporte les cafés.

Mon regard s'amuse à faire le tour de son décor. Un aménagement dégagé et aéré. Une ambiance où l'on peut respirer facilement. Chaque chose est à sa place, et sans aucune disposition autoritaire ou austère. Rien n'est pris pour acquis. Ce qui est à gauche pourrait bien se retrouver un jour à droite, et vice-versa. Tout a sa place pour le plaisir d'être là, sans aucune obligation de permanence rigide ou de fixité maladive.

Le bibelot sur le téléviseur n'est pas jaloux du vase à fleurs séchées sur la table de centre. Et cette table de centre n'essaie pas d'entrer dans le moule de la table de coin. Un bien-être général règne dans la pièce.

Avec précautions, Monique dépose les tasses sur les sous-verre, puis prend place dans la causeuse qui se trouve en face de la mienne. La conversation s'engage sur quelques généralités.

Monique me parle de ses activités et de son travail. Je tente de m'intéresser aux sujets de conversation qu'elle soulève. Tout à coup, je m'étouffe avec une gorgée de café. Une question vient m'assaillir: "Quelle est la différence entre rencontrer une parfaite inconnue dans une discothèque avec un bruit de fond omniprésent et celle d'être assis en face à face avec Monique"?

Dans les deux cas, je tente vainement de m'intéresser à ce que me raconte mon interlocutrice. Ce n'est donc pas le lieu où je me trouve qui m'amène à cette insatisfaction qui me rejoint inévitablement. Si ce n'est pas le lieu, ni l'interlocutrice avec qui je me retrouve qui fait la différence, il ne reste donc qu'un seul responsable.

J'ai beau regarder à gauche, à droite, le plafond, puis le plancher. Il ne reste qu'une seule autre personne dans la pièce. Ce n'est pas un coupable que je cherche, mais un responsable. Cette personne c'est moi!

Je suis la seule personne responsable de la satisfaction de mes besoins. Je reprends difficilement mes sens. Péniblement, je profite de l'interruption causée par ma maladresse pour interrompre Monique:

- Monique, je voudrais te faire un aveu.

- Je t'écoute.

- Je ne veux pas banaliser ce que tu as vécu la semaine dernière, ni ce que tu vivras la semaine prochaine. Pour être honnête avec toi, ce soir, j'ai le goût de vivre autre chose...

- Je sais.

- ... Comment tu le sais?

-Ce sont tes appels qui m'ont mis la puce à l'oreille. Avec les derniers appels que tu m'as faits, c'est ce que je pouvais deviner.

- Et pendant tout ce temps où tu savais, tu parlais de ton bureau sans cesse!

- Oui. J'avais peur de m'être trompée et de ne pas être intéressante. J'ai une certaine difficulté avec les silences. Je crains les temps morts, alors je remplis la conversation en attendant que tu te décides.

- Après tout, c'est moi qui ai appelé. Je n'ai pas à attendre que se présente l'occasion. J'ai à prendre ma place et à dire ce que j'ai à te dire.

- Attendre l'occasion parfaite, ça me laisse songeuse quelque peu.

- C'est ma façon de tourner en rond. Je fais un pas, puis je fige sur place.

- Comme une statue de sel...

La conversation prend une toute autre couleur. Un rythme différent s'installe. Un nouveau soleil réussit à faire fondre cette statue de sel. Cependant, je dois rester vigilant. Je n'ai qu'à me retourner la tête, et dans un instant de distraction, je peux encore une fois me changer en statue de sel.

Monique et moi avons terminé la soirée à parler des vraies affaires. Elle est flattée de l'intérêt que je lui porte, mais la relation n'ira pas plus loin que cela. Je m'étais créé des attentes et imaginé toutes sortes de scénarios. Je retourne donc bredouille à mon véhicule.

Chapitre 26

Une autre année passe sans revoir Tom. Je continue à vaquer à mes occupations. Je mûris un peu l'enseignement qu'il m'apporte. Le fait de me retrouver seul me permet de mieux me l'approprier, de respecter mon rythme.

Tom est un être fascinant et plaisant en même temps. Jadis, une grande noirceur m'habitait. Dès son arrivée, j'ai eu l'impression d'avoir ouvert les rideaux de mon appartement. C'est une façon logique de laisser pénétrer le soleil qui m'attend dehors, un soleil qui n'a jamais cessé de briller.

Toute une série d'événements difficiles m'ont fait perdre de vue ces simples plaisirs. Je me suis isolé retiré de ce monde qui ne cessait de me faire souffrir. Tom et le hasard de cet accompagnement sont venus me brasser un peu et briser la cage dans laquelle je me suis si longtemps réfugié.

Je me sens bien dans ma peau et vais de mieux en mieux. Tom m'a aidé à amorcer un nouveau départ dans la vie, à un moment très opportun. Parti de rien, je ressens maintenant la plénitude de cette nouvelle vie.

J'apprends à me découvrir, à comprendre l'environnement qui m'entoure et à établir de nouvelles règles pour être en relation avec celui-ci. Je me sens tout léger. J'ai l'impression d'avoir réussi à me départir de cette grosse armure du chevalier sans peur ni reproche. Je me suis débarrassé du poids d'une défense trop encombrante.

Je comprends mieux tout le sens des paroles de ce bon vieux Tom. En acceptant que je sois un être sensible, je peux maintenant prendre contact avec toute la sensibilité qui m'entoure. Je sens un nouveau contact, une nouvelle relation avec la nature.

Toutes les belles théories de Tom sur la relation de couple me semblent cependant très loin. Ce sont des théories utopiques, trop belles pour exister dans cette vie.

La nouvelle vie que je m'offre est calme et sereine. Je préfère ne rien changer, par peur de bouleverser cet équilibre qui me semble si fragile. Certains diront que le changement est une occasion d'évoluer et de toujours se dépasser. Moi, je le vois encore comme un risque à prendre. Je peux améliorer ma situation, mais je risque également de l'empirer!

J'ai besoin de changements dans ma vie. Une montagne de peurs me fige sur place. Comme Don Quichotte, j'ai encore des moulins à affronter. J'ai peur de ma sensibilité. Je me sens si fragile. Et si Tom se trompait? Ai-je le courage au moins d'essayer ou de vérifier par moi-même? Pas pour l'instant. Peut-être, dans quinze ou vingt ans, je verrai à ce moment-là.

Je me sens moralement bien mais encore ébranlé par tous ces changements. Une légère brise pénètre l'appartement. Les rideaux bougent encore. Soudain, je sens une présence qui m'épie.

Surprise et étonnement! Je me retourne rapidement. Je revois cet être fascinant. Il n'a pas changé. Il est adossé à mon réfrigérateur, les pieds croisés à la James Dean, avec son éternel petit air sarcastique: Tom est revenu!

- Tu ne salues pas tes invités quand ils arrivent?

- ...

Tom remarque la confusion dans laquelle je me trouve. C'est un mélange d'étonnement, de surprise et de gêne. J'éprouve surtout un grand plaisir à le revoir.

- Sa ... salut ... salut Tom!

Enfin j'ai brisé la glace. La conversation va pouvoir continuer. Quand je dis continuer... plutôt commencer. Même en écrivant, je me sens tout nerveux du retour de Tom. Trois grandes respirations allez hop! on y retourne!

- Tu pensais peut-être que j'étais un personnage tiré de l'un de tes rêves et que je ne reviendrais plus?

- Bien non!

- Depuis notre dernière rencontre, je t'ai laissé un peu de temps pour mûrir.

- Je suis toujours surpris de te voir arriver comme cela, sans prévenir.

- L'accompagnement que j'ai à faire avec toi doit être complet et sérieux.

Tom me scrute quelques instants avant de me questionner.

- Est-ce que tu ramollis?

Tom me voit tripoter mes bras et raidir mes biceps.

- Quand je parle de ramollir, je ne pense pas à tes muscles je parle de ta façon de penser et d'agir.

- C'est évident je l'avais deviné.

Son petit rire amusé laisse sous-entendre qu'il a bien vu ma gêne et mon malaise. J'ai déjà oublié que je ne peux rien lui cacher. Il remarque tout. Il poursuit son interrogatoire:

- Est-ce que tu te caches un peu?

- Me cacher de qui?

- De tes déclencheurs.

- De quoi?

- Oublie cela pour l'instant, on en reparlera.

- Ça semble supposer que tu es de retour pour un certain temps?

- Ça t'inquiète?

- Pas encore, mais j'ai peur que cela me fasse mal.

- C'est moins pire que d'aller chez le dentiste.

- Pourquoi penses-tu que je prends tant soins à mes dents?

- Parce que tu as peur du dentiste.

- Je vais prendre le temps de bien soigner mon psyché et mes états d'âme, c'est promis.

- Trop tard, je suis revenu!

Le plaisir de le revoir se mélange à la peur. La peur de l'inconnu, des nouvelles choses que Tom va me faire vivre et de tous les changements que cela peut apporter dans ma vie. Même si ça fait un bout que je ne l'ai pas vu, j'ai toujours l'impression qu'il ne m'a pas laissé suffisamment de temps pour souffler. Je n'ai pas eu assez de temps pour profiter de ce calme. Je vois ces deux grands yeux m'observer et m'ausculter. C'est comme s'il possédait des rayons X à la place des yeux. Il peut tout voir. Il se prépare à prononcer son verdict.

- Ton psyché est dans un état stable.

- C'est pas correct?

- Il n'y a pas de normes à suivre ou de standards à respecter.

- Donc, c'est correct?

- Je ne suis pas là pour te fournir les réponses.

- Ça peut aider un peu.

- Aurais-tu déjà oublié que toutes les réponses à tes questions sont à l'intérieur de toi?

- Je n'ai pas oublié, mais je n'ai pas l'impression d'avoir posé des questions.

- Si tu ne te poses pas de questions, alors pourquoi recherches-tu des réponses?

- Je suis embêté.

- Si tu ne te poses pas de questions alors pourquoi tentes-tu de comparer mes remarques à des standards qui n'existent pas?

- Je commence à être confus. Qu'est-ce que ça veut dire pour toi "être ramolli", tout en ayant un psyché stable?

- À mon avis, il manque un peu de piquant dans ta vie ça ne bouge pas beaucoup.

- Mes peurs remontent avec plus de force.

- Prends le temps d'affronter tes peurs. Il n'existe pas de médication pour les empêcher de remonter. Si, par ta force de caractère, tu les empêchais de remonter, alors là, tu risquerais d'avoir besoin de médicaments pour soulager tous les maux qui vont envahir ton corps.

- Ce n'est pas le temps de trop brasser mon physique. Il semble fatigué et vulnérable.

- Tu te sens fatigué?

- Oui, j'ai besoin de vacances.

- Je te l'avais dit que la solution était à l'intérieur de toi.

- Laquelle?

- Tu viens de dire que tu veux prendre des vacances. Moi, ça me va. Je suis disponible; je te laisse choisir la destination.

J'ai toujours l'impression de me faire rouler un peu avec Tom. Cette dernière remarque est accompagnée d'un sourire victorieux. Comme si c'était évident pour lui que j'allais décider de prendre des vacances mais qu'il attendait que je l'exprime moi-même!

Je réinstalle son lit de camp dans la chambre. Je ne lui ai pas offert mon lit douillet. Je me souviens que trop bien de notre première soirée ensemble. En cette nuit de retrouvailles, je n'ai pas eu de longs discours. Cependant, je sais que je ne perds rien pour attendre.

Chapitre 27

Dès le lever du jour, je remarque que Tom a déjà fait connaissance avec les lieux. Il s'amuse à fouiller partout. D'une autre personne, je n'aurais pas accepté cette intrusion dans mon intimité. J'aurais posé mes limites bien avant. Mais venant de Tom, je l'accepte facilement. De toute façon avec l'entente initiale que j'ai signée, lui permettant de faire comme chez lui, je serais mal venu de l'en empêcher. Je suis sûr qu'il ne fouille que pour la forme. Je suis convaincu qu'il sait tout de moi. Afin de me faire découvrir de nouvelles choses par moi-même, il recommence avec ses questions.

- C'est quoi cette lettre?

- C'est une invitation.

- Nous sommes invités où?

- Au mariage de Johanne et Jean-Louis.

- Il va falloir que je m'achète une nouvelle cravate.

- Pas si vite, je n'ai pas répondu encore.

- Ah non!

- C'est parce que c'est loin un peu c'est à Jonquière.

- Et puis?

- Cela fait beaucoup de route pour un aller-retour.

- C'est vrai. Tu me disais hier que tu étais fatigué.

- Oui. Je suis dû pour des vacances.

- Et tu es intéressé à aller à ce mariage?

- Oui, ce sont de bons amis.

- Encore une autre belle solution qui vient de toi.

- Laquelle?

- Celle de profiter de ce mariage pour prendre tes vacances à Jonquière!

- J'ai dit cela?

- Tu l'as pensé tellement fort que toute la ville t'a entendu.

Je suis toujours un peu brusqué par les questions de Tom. C'est vrai que la solution vient bel et bien de moi. Mais en même temps il semble capitaliser sur ce que je dis. Il est facile de trouver cette solution lorsque je prends le temps de m'exprimer. C'est tellement facile que j'ai de la difficulté à avoir confiance au résultat. C'est tellement simple que je n'ose y croire. Je deviens confus en supposant qu'il doit y avoir une autre solution plus difficile à trouver.

Durant la journée je planifie mes vacances qui gravitent autour du mariage de Johanne et Jean-Louis. C'est une planification facile et sans résistance. Ça semble si évident que j'étais pour prendre des vacances à cette date précise, comme si c'était écrit dans le ciel! C'est à croire que lorsque la solution vient de moi, tout devient facile et je n'ai pas à naviguer à contre courant.

Il ne nous reste plus qu'à attendre la date du départ.

Chapitre 28

La journée tant attendue est maintenant arrivée. Même Tom est nerveux et anxieux. C'est comme si, pour lui, l'action allait commencer. Il aura une plus grande opportunité de me taquiner, de me questionner, de me faire méditer une situation donnée.

En tirant les rideaux de l'appartement, je sens le soleil plus chaud qu'à l'accoutumé, plus radieux. C'est un soleil qui semble être dans le même état d'âme que moi. Pour mon départ, même les plantes me donnent l'impression d'être plus grandes, plus vertes.

Je soupçonne que ces vacances avec Tom vont changer ma vie encore une fois. De toute façon, ne serais-ce pas ici la définition du sens même de la vie? La vie n'est que la somme de tous ces changements que l'on prend le temps de vivre avec toute l'intensité qu'elle apporte.

Tom me voit hésitant devant mes valises. Il se rapproche.

- As-tu de la difficulté à faire tes valises?

- À vrai dire, oui.

- J'écoute. C'est quoi ton problème?

- J'ai le goût de partir avec peu de bagages.

- Facile jusque-là.

- J'ai sorti deux habits pour les noces, vu que je ne sais pas encore comment les autres invités vont s'habiller. J'apporte deux styles de vêtements différents. Je pourrai vérifier sur place comment les autres vont s'habiller et je choisirai en fonction de ce que j'entendrai. J'ai choisi des vêtements au cas où je sortirais avec des gens plus jeunes, plus classiques ou sobres, ou encore pour accompagner des gens de style plus traditionnel. J'ai préparé une autre pile, au cas où je me promènerais dans les bois, et cette autre pile pour...

- Tu n'as pas l'impression de vider tes garde-robes?

- Ça représente presque deux tonnes de linge réparti en douze valises.

- Pour quelqu'un qui voulait voyager avec peu de bagages, c'est quelque peu gênant.

- Si je m'écoutais, je n'aurais qu'une valise et je n'apporterais que ces morceaux

- Et qu'est-ce qui t'empêche de t'écouter?

- ...

- Félicitations. Ce n'était pas vraiment compliqué.

- Et qu'est-ce que les autres vont penser?

- Si tu te sens bien dans ta peau, non seulement ils vont t'accepter tel que tu es, mais en plus, ils vont te féliciter pour ton allure décontractée.

Jusqu'à présent, j'accepte facilement toutes ses remarques. Comment puis-je m'objecter et être sur la défensive, quand il me ramène des solutions qui partent de moi?

Je suis maintenant fin prêt pour le départ, avec peu de bagages: une valise et un habit. J'ai trouvé quelqu'un pour me voyager à Jonquière. De là, après la cérémonie, il va rapporter mon habit et je pourrai partir à l'aventure avec cette seule valise. Sans itinéraire, je suivrai mon instinct. Accompagné de Tom, les vacances seront sûrement bien remplies.

Je ne veux pas m'imposer une route à suivre ou des activités précises à accomplir. Je veux me laisser la liberté de choisir à chaque instant. Je veux me sentir comme un capitaine de voilier qui, en fonction de la direction et de la force du vent, peut, à chaque instant, diriger ses voiles.

Vivre intensément sa vie, n'est-ce pas avoir le droit de changer à tout instant la direction de notre voyage? Je donne une direction, un sens à celui-ci. Je vais m'amuser à faire ce voyage, sans itinéraire exact et sans prévoir d'avance tous les mouvements de voiles que j'aurai à faire.

Chapitre 29

Pour nous rendre à Jonquière, Tom et moi avons eu la chance d'être véhiculés par les futurs mariés. Les noces vont se dérouler à Jonquière. Les mariés demeurent ensemble à l'Assomption depuis un certain temps déjà.

Bien installé avec Tom, sur la banquette arrière de la voiture, je suis prêt pour ce départ vers l'aventure. J'ai l'impression de rajeunir de trente ans. Il est rare que je me laisse conduire ainsi. Je n'ai qu'à profiter du voyage, admirer la nature et sûrement découvrir toute une série de paysages. Habituellement, je suis le conducteur. La responsabilité des autres voyages m'a sûrement fait rater plusieurs choses intéressantes.

Avec mes yeux d'enfant et un coeur ouvert à l'émotion de l'instant, je me laisse imprégner par le charme du décor. Ma sensibilité s'est répandue sur plusieurs feuilles de papier.

Je me remémore quelques instants passés avec Jean, un homme qui m'avait bouleversé avant même de le connaître. J'ai eu beaucoup de choses à vivre avec cet homme d'une belle créativité et d'une belle sensibilité.

Lors de mes premiers balbutiements dans le monde de l'écriture, Jean travaillait sur son sixième disque. Malgré un bagage de quatre milles chansons, c'était le premier disque sur lequel il livrait son vécu en paroles et en musique.

Peu de temps après avoir terminé un de mes textes, Marcel, un ami commun, m'a fait entendre, en primeur, l'une des chansons qui se retrouverait sur l'album de Jean que je ne connaissais pas encore. Je n'arrivais pas à entendre les mots de la chanson. Je l'ai écoutée dix, quinze et même vingt fois, sans succès jusqu'au jour où j'ai réalisé pourquoi je me fermais tant aux chansons de Jean, et que, sans le connaître, il me brassait si fort intérieurement.

Dans l'un de mes premiers textes, j'ai utilisé des mots qui me semblaient, à première vue, contredire ceux que Jean utilisait dans ses chansons. Puis-je me permettre de contredire un homme d'expérience comme lui? Mon insécurité me fait douter de moi, de ce que j'écris. J'ai voulu tout remettre en question.

J'ai pris un certain temps avant de découvrir la richesse de mon identité. Je n'ai pas à me comparer, ni à me justifier. Je n'ai qu'à être moi-même et à m'accepter dans ce que je dis et avec ce que je pense, tout en acceptant que les autres puissent penser différemment. Dès que j'ai commencé à me faire confiance j'ai pu voir la beauté de mes textes et entendre celle des chansons de Jean. J'aurais bien voulu vous partager les mots précis qui m'ont fait réagir je ne réussis plus à m'en souvenir. Pris dans son ensemble, le sens des mots a changé de couleur.

Si c'est à travers le jugement et la comparaison que je regarde, j'utilise alors un filtre qui déforme la réalité. Le vrai sens des choses perd de son éclat et de sa finesse. C'est quand on est soi-même que la vie prend son vrai sens.

Peu de temps après cette prise de conscience, j'ai rencontré Jean. Nous avons travaillé ensemble et j'ai vécu de belles choses avec lui. Je me rappellerai longtemps de cette expression qu'il m'a laissée: "Ta sensibilité à fleur de papier". Cette sensibilité peut s'épanouir autant dans l'écriture, la musique, la peinture qu'avec tout autre moyen qui nous est propre.

Pendant que Jean-Louis se concentre sur la route, Johanne se retourne vers moi.

- Beau paysage, n'est-ce pas?

J'acquiesce d'un signe de la tête. Le paysage continue de défiler devant mes yeux d'enfant, des yeux grands ouverts; des yeux qui ne demandent qu'à recevoir toute cette beauté de la nature.

Lorsqu'un un arbre passe devant nos yeux, on peut supposer les avoir tous vus. Ils ont beau être tous verts, avec des feuilles identiques, chacun de ces arbres a pourtant une personnalité qui lui est propre. Un poussera à flanc de montagne, un autre, près d'une rivière, un autre en famille, et ce dernier, en solitaire, dans son champ.

Je me reconnais à travers tous ces arbres. Celui-ci, c'est un grand protecteur qui surveille les oisillons dans leurs nids. Celui-là, par exemple, est terrassé par le fardeau trop lourd qu'il s'est imposé. Ils ont tous une histoire qui peut me rejoindre.

Johanne prend l'initiative de briser le silence contemplatif que nous ressentons devant la beauté du paysage. Elle se retourne vers Jean-Louis.

- Je commence à avoir faim.

- Nous pourrons arrêter dans une dizaine de kilomètres il y a un petit restaurant.

- Ça te fait sourire quand je te dis que j'ai faim?

- Je me doutais bien que tu étais pour me le demander bientôt. Est-ce que les deux passagers en arrière sont prêts pour une petite escale?

- Il est toujours plaisant de se dégourdir les jambes après plusieurs heures de route.

Une fois arrivés à ce restaurant et afin de laisser un peu d'intimité aux futurs mariés, Tom et moi avons décidé de prendre une table à part, dans le fond du restaurant.

Quel décor posé et romantique! À toutes les tables, j'aperçois des couples qui écoutent un chanteur de charme et son pianiste. Le chanteur, par ses mélodies, crée une chaude ambiance. Les auditeurs se laissent bercer, donnent libre cours à leur imagination et deviennent les acteurs de leurs propres rêves.

Le personnel assure le service en essayant d'être le plus discret possible, tout en étant efficace: il se place au service de la clientèle, sans la devancer pour ne pas la brusquer, ni la faire attendre, pour ne pas l'impatienter.

Tom commence à sourire et me regarde.

- Exactement comme un thérapeute avec son client.

- Je ne te suis pas, je pensais au service aux tables.

- C'est ce que je dis, un bon serveur est exactement comme un bon thérapeute.

- Est-ce qu'on est toujours sur la même longueur d'onde?

- Certainement. Tu vois, quand le serveur est trop rapide et au-devant de son client, il met de la pression sur celui-ci afin qu'il termine son assiette au plus vite et quitte le plus rapidement possible. Le client n'a pas le temps de souffler. Il se sent envahi par le service. On lui impose un rythme. Il n'a pas le temps d'apprécier les plats qu'on lui sert.

- Quel rapport avec un thérapeute?

- Un thérapeute qui est au-devant de son client ne le respecte pas dans son rythme. Le client n'a pas le temps d'apprécier ses découvertes. Il risque de sentir qu'on lui impose des idées.

- J'ai hâte d'entendre la suite.

- Un serveur qui se fait trop attendre va te stresser. Tu ne pourras apprécier le charme de l'ambiance chaleureuse et agréable qui t'entoure. L'impatience va te manger tout rond, et ce, avant même que tu n'aies le temps de commencer à manger ton plat de résistance.

- Qu'advient-il de ton thérapeute?

- Un thérapeute qui ne réussit pas à suivre le rythme de son client risque de l'insécuriser davantage. Le client risque de sentir qu'il n'est pas compris, qu'il n'est pas entendu et qu'il n'est pas intéressant.

- Je sens que tu as une belle finale à me proposer avec ta comparaison.

- Quand le serveur s'ajuste au rythme de son client, sans le devancer ni être en retard, il ne le voit même plus. Il apprécie les gens autour de lui et le décor enchanteur. Les plats arrivent comme par magie!

- Et pour mon thérapeute?

- Quand ton thérapeute respecte ton rythme, tu chemines avec lui sans qu'il te dirige, sans que l'émotion qui veut monter soit refoulée. De cette façon, tu réussis à découvrir par toi-même la solution qui sommeille en toi ta solution, non pas celle du thérapeute.

- Mais alors à quoi sert le thérapeute?

- À mettre de l'emphase sur ce que tu dis. On n'est tellement peu habitué à écouter, que souvent, on ne se rend même pas compte de ce que l'on dit. Le thérapeute, en répétant certaines de tes phrases, te fait entendre ce que tu dis.

- C'est tout?

- Il accueille l'émotion qui remonte en toi. Il agit comme un miroir qui te montre tout simplement ce que tu vis, sans te juger. Il peut t'aider avec quelques petites questions, sans interpréter ce que tu vis. Tu chemines par toi-même. C'est une façon de pouvoir libérer la souffrance qui te dévore et en arriver à pouvoir accueillir les belles choses qui fleurissent en toi et qui ne demandent qu'à s'épanouir.

- Ça semble être facile d'être thérapeute!

- Le seul petit anicroche réside dans le fait de répéter ces phrases sans créer de distorsion.

- Sans distorsion?

- Être capable de recevoir à peu près n'importe quoi sans juger la personne aidée, sans vouloir lui faire la morale ou la changer être capable d'accepter l'autre, tel qu'il est.

- Ça, c'est un peu moins évident.

- Et quand on ne se sent pas bien avec ce qui est dit, c'est là qu'il est important d'explorer ce qui ne passe pas.

Sur cette dernière phrase je contemple à nouveau le décor. Je m'imprègne de l'ambiance qui règne dans ce restaurant. Je vois apparaître ces plats d'une table à l'autre. Une fois le service terminé, je les vois disparaître.

Nous réglons l'addition et reprenons la route. Tom n'a sûrement pas fait cette comparaison juste pour le plaisir. Il a sûrement préparé le terrain pour y revenir plus tard.

Avant de commencer la traversée du Parc des Laurentides, Jean-Louis fait le plein d'essence. Ce parc est plus qu'une simple route qui nous fait voyager de Québec au Saguenay. C'est une vaste forêt, avec ses lacs et ses montagnes. C'est un coin de nature qui s'étend à l'infini. La civilisation s'arrête à Québec pour ne reprendre qu'au Saguenay. Entre les deux, Dame Nature est restée maîtresse de la situation.

Seule la route sinueuse nous laisse présager qu'un jour où l'autre la civilisation réapparaîtra. Malgré toute la beauté et la richesse de ce décor enchanteur, je suis indifférent. Tom le remarque.

- Tu as l'air songeur, mon ami.

- J'ai l'impression d'être comme notre automobile.

- C'est toi maintenant qui parle en parabole?

- En traversant Montréal et Québec, j'ai eu l'impression d'avoir passé par deux villes stressantes. En admirant la nature je suis rempli de sérénité. En regardant ces deux villes, ce n'est que souffrances et malaises qui m'habitent et m'envahissent.

- Comme deux relations amoureuses peut-être?

- Tu décodes trop vite mes paraboles, tu me brusques.

- J'écoute la suite.

- Je repense à tout ce que l'on s'est dit lors de notre première rencontre sur la communication de couple, sur l'authenticité, l'honnêteté dans nos relations, et sur tout ce que j'ai écrit sur la femme idéale et la relation parfaite.

- J'espère que toutes ces réflexions ne te rendent pas nostalgique?

- Un peu oui. J'ai l'impression que la femme idéale n'est pas encore née et que je n'aurai pas la chance de vivre cette relation tant attendue et espérée. Je n'ai pas le goût de rebrousser chemin, de vivre n'importe quelle relation.

- Tu sais ce que tu veux vivre. Tu peux définir ce que tu ne veux plus revivre. C'est un excellent début!

- Tellement bien défini que cette femme si spécifique ne peut pas exister dans ce monde du moins, pas dans cette vie.

- Tu généralises trop. Tu vois un arbre vert, tu extrapoles et dit que toute la forêt est verte.

- Les arbres ne sont-ils pas tous verts?

- À l'automne, ils jaunissent et rougissent!

- Tu me fais peur quand tu parles d'automne. Je n'ai pas la patience d'attendre l'automne de ma vie. Je me sens si jeune. L'automne de ma vie c'est si loin! Je ne veux pas attendre tout ce temps avant de connaître le bonheur d'une relation satisfaisante.

- Monsieur se décourage rapidement!

Je me sens perdu sur une grande route qui ne mène nulle part. Je suis seul sur un chemin qui n'en finit plus. Je n'y arriverai jamais.

- Tu va y arriver, ne t'inquiète pas. Fais confiance à la vie.

- À Jonquière, oui. À cette relation privilégiée, ou je ne sais quoi j'en doute. Je me suis fait à l'idée de finir ma vie seul. C'est ça qui me rend nostalgique.

Je reste songeur en regardant les arbres défiler devant moi. Je suis déçu. J'ai à accepter cette évidence. C'est difficile à accepter, je me résigne plus qu'autre chose.

Les arbres se font de plus en plus rares. Quelques maisons apparaissent le long du chemin. Après avoir contourné Chicoutimi, nous arrivons finalement à Jonquière. Premier arrêt: les parents de Johanne, la mariée.

Après le mariage, j'improviserai. J'irai à pied. Avec Tom à mes cotés, je ne m'inquiète pas vraiment.

Chapitre 30

Nous arrivons chez Jacqueline et Jean-Marc, les parents de Johanne, qui l'attendent avec impatience. Johanne est la vedette de ce week-end.

Depuis que les noces ont été annoncées, Jean-Louis est devenu membre à part entière de cette nouvelle famille. Les peurs de Jean-Marc pour sa fille Johanne se sont estompées au moment où Jean-Louis a décidé de devenir son gendre. Ce n'est pas toujours facile pour un père de voir sa propre fille partager sa vie avec un homme. Le mariage devient un gage de sérieux dans une relation.

Toute la famille s'est réunie autour de nos deux amoureux. Ils sont une quarantaine de personnes, toutes fort sympathiques. Les femmes sont émues. Pour celles qui sont déjà mariées, c'est le souvenir d'un moment inoubliable; le jour de leur union avec un homme pour fonder une famille, leur famille. Même si, parmi certains de ces mariages, il y en a qui n'ont pas nécessairement eu réponse à leurs attentes et à leurs rêves, cette cérémonie demeure spéciale et exceptionnelle, un instant magique et féerique.

Pour certaines femmes qui n'ont pas encore vécu l'événement, c'est l'envie et l'admiration. Ont-elle l'impression de devenir femme uniquement lorsqu'elles n'appartiennent qu'à un seul homme? Est-ce que, pour elles, la vie ne prend sa réalité et tout son sens que dans le mariage?

La conversation des hommes est très axée sur la moquerie. Certains, derrière leur rire, cachent difficilement une certaine lourdeur. C'est comme s'ils disaient au futur marié: "Tu ne sais pas dans quoi tu t'embarques" ou encore "Il est encore temps de faire demi-tour".

Les hommes s'occupent de l'enterrement de vie de garçon de Jean-Louis. C'est leur façon de lui dire que demain, tout sera différent. C'est le temps d'être sérieux maintenant, fini le plaisir et le butinage. Jean-Louis devra bientôt supporter le poids des responsabilités et des obligations.

Il y a tant de gens, tant de réactions diverses face à cet événement. Pour certains, le mariage est une fin en soi; pour d'autres, le commencement d'une autre vie. Cette finalité peut être enviable pour certains ou à éviter pour d'autres, selon leurs aspirations ou leurs déboires.

Tom se rapproche de moi.

- Beaucoup de monde!

- Oui. Je me disais qu'il y a souvent autant d'opinions qu'il y a de gens.

- C'est rassurant, tu ne trouves pas?

- Je ne saisis pas Tom.

- Puisque tu acceptes d'avoir des prises de position qui sont différentes des autres, tu pourrais maintenant te donner le droit de te montrer tel que tu es au lieu de toujours essayer de te conformer.

Je vois tant de gens, tant de sourires, tous étrangers, mais tellement accueillants. Je les regarde s'amuser avec tant de plaisir. Ils m'acceptent comme si je les connaissais depuis longtemps. Je suis sûr que si je devais faire de l'auto-stop dans la région, ces gens bienveillants et accueillants viendraient me cueillir en moins de deux minutes.

La frénésie des préparatifs du mariage s'amplifie. Un peu partout, et malgré une nervosité palpable, des sourires illuminent les visages. Puis, comme pour ajouter à la beauté naturelle de la mariée et de sa mère, on a fait appel à une professionnelle de l'esthétique, Alexandra Lajeunesse, une artiste dont la sensibilité se lit sur les visages de ses clientes. Elle maîtrise l'art de souligner la beauté naturelle des gens. À l'aide de quelques pinceaux et crayons, elle prend les couleurs de son coeur et doucement, les transpose sur un visage, avec amour et attention. Elle prend le temps de mettre en valeur la personnalité de chacune des personnes qu'elle maquille.

Cette grande dame de l'esthétique est ardemment attendue. Au loin, un bruit d'auto puissante se rapproche. L'auto sport fonce à toute allure. Je suis toujours surpris que des gens conduisent si vite dans une petite rue calme comme celle-ci. Ma surprise est encore plus grande quand je me rends compte que le conducteur tente de ralentir pour se stationner chez Jean-Marc. Une brillante et rapide manoeuvre force l'automobile à s'arrêter à la seule place de stationnement disponible. Les gens ont déjà reconnu la conductrice. Alexandra vient de faire une autre entrée spectaculaire. Elle est saluée joyeusement par ceux qui la connaissent.

La famille s'entasse dans le vestibule. Les mains chargées de ses valises, la " grande dame ", du haut de ses quatre pieds et dix pouces, fait une entrée triomphale.

Pour Johanne et Jean-Louis la nervosité augmente. Leur mariage est un événement marquant dans leur vie. Pour Alexandra, cette esthéticienne de carrière, c'est le deuxième mariage de la journée qu'elle prépare et le sixième de la semaine. L'été lui en fera voir peut-être plus d'une cinquantaine.

Malgré le nombre de mariages à préparer, chacun sera différent. Chaque mariage, chaque mariée aura sa propre couleur. La sensibilité de l'artiste saura découvrir chacune de ces couleurs. Elle mise sur les différences pour personnaliser chaque trait du visage et en faire son chef-d'œuvre.

Elle s'installe dans la salle de bains. Un à un, les intéressées défilent sous son pinceau. Après un minutieux travail sur chacun des visages qui lui passent sous les mains, c'est la métamorphose. Tel un bourgeon qui éclôt, le charme et la beauté de ces êtres se dévoilent au grand jour.

Son travail terminé, les gens s'attroupent dans la salle à manger et contemplent la mariée, métamorphosée par le travail de l'artiste.

Jean-Marc, le père de la mariée, prend soudainement un air songeur, presque inquiet. Il se retourne vers Alexandra et risque une question.

- Alexandra, tu es toujours célibataire?

- C'est sûr, je suis trop heureuse pour imaginer la vie autrement.

- Ça tombe bien, le grand bonhomme que tu vois là-bas est lui aussi célibataire. Avec un sourire un peu moqueur, Jean-Marc me désigne du doigt.

- Il n'en est pas question, je ne cherche pas le trouble, rétorque la jolie Alexandra, sur un ton sec et décidé.

Je ne peux m'empêcher de répliquer à cette jeune demoiselle un peu trop sûre d'elle-même presque arrogante.

- Ça tombe pile, moi non plus, je ne cherche pas le trouble! Je lui fournis cette réplique sur un ton très sérieux et convaincu, une façade que je me donne pour cacher mon côté déjà échaudé.

J'ai su plus tard la réflexion intérieure d'Alexandra.

- C'est tout un effronté de répondre de la sorte. S'il s'imagine que parce qu'il est grand il est nécessairement capable de créer de grandes phrases cohérentes en parlant je pense qu'il a manqué sa vocation!

Elle me regarde froidement dans les yeux, s'avance vers moi et d'un ton presque dédaigneux me dit:

- De toute façon j'ai un cartable de notes personnelles de trois pouces d'épaisseur, qui décrit l'homme idéal et qui définit toutes les caractéristiques qu'il doit posséder. C'est sensé décourager 120% des hommes de cette planète.

Je réplique rapidement, sans même hésiter.

- Inquiète-toi pas pour ça. J'ai moi aussi un cartable qui décrit la femme idéale. Dans sa conclusion, on peut même y lire qu'il n'est pas prévu que cette femme existe avant une vingtaine d'années encore!

Préférant ne rien répondre et éviter l'altercation, Alexandra rebrousse chemin vers les toilettes et range tout son matériel dans ses grosses malles noires.

Je dois avouer que malgré tout, j'admire toute l'assurance et l'indépendance de cette dame. Je me risque à la suivre dans son lieu de travail qu'elle s'apprête à déserter. Dans le cadre de porte, je lance cette dernière remarque:

- Si tu viens aux noces ce soir, on pourrait prendre un peu de temps pour comparer nos cartables et en même temps, je pourrais t'inviter à danser.

Comme un enfant qui a fait un mauvais coup, je ne prends pas le temps d'attendre la réponse, si réponse il y eût. Je disparais parmi les invités. Aussi contradictoire que cela puisse paraître, j'espérais que cette invitation n'eut jamais été formulée, encore plus que de savoir si Alexandra l'avait entendue.

J'ai senti le besoin de lancer l'invitation pour combler un manque affectif. En même temps, je ne veux pas le transmettre, par peur de rouvrir des plaies. Elles sont à peine guéries de mes dernières relations. Je me sens trop fragile et je n'ai pas encore assumé le deuil de ces relations passées.

Mon coeur dit oui, tandis que ma tête me dit que je suis fou. Deux polarités contradictoires. Comme une batterie d'auto, avec ses pôles positif et négatif. C'est par leur différence que l'électricité circule et crée de l'énergie. Je ne saurais dire, en ce moment, si cette différence entre mes deux polarités m'énergise ou m'électrocute.

Après le départ d'Alexandra, le branle-bas de combat reprend de plus belle. Tous les invités se préparent à la grande cérémonie. Tous et chacun s'entassent dans des véhicules pour se rendre à l'église du coin.

Dans la plus belle voiture du cortège, la mariée doit se sentir bien seule. Malgré le fait que ses parents l'accompagnent, c'est la solitude. Malgré tous ces gens qui la suivent, il y a un grand vide.

Ce vide m'est familier aussi, et s'accompagne de cette solitude auprès de laquelle je me retrouve si souvent. Malgré la foule qui m'entoure, je me sens si souvent seul. J'ai besoin que l'on se souvienne de moi, que l'on sache que j'existe. J'ai peur d'être déçu si je sortais de ma bulle ou encore d'être envahi et incapable de mettre mes limites.

Un vide ou un trop plein? Encore une fois, je reviens à cette fameuse question de Shakespeare: "Être ou ne pas être" Encore deux extrêmes qui me font frémir. Comment puis-je trouver mon équilibre entre ces deux pôles? Cet équilibre n'est pas défini dans aucun livre. Un équilibre qui ne se trouve qu'au fond de moi, comme un trésor enfoui dans la mer. Un trésor que j'ai abandonné à des pirates et que je veux maintenant récupérer. Un trésor qui a toujours été mien, dès ma naissance. Un trésor qui me revient de droit et que je veux redécouvrir.

En parlant de ce trésor, j'entends la chanson "En équilibre" de mon ami Jean Robitaille: "Derrière chaque souffrance, il y a un cadeau". Pourquoi mes pirates ont-ils eu l'idée de cacher un tel trésor derrière tant de souffrances? Sadisme ou méchanceté? Ils savaient sûrement que c'est le dernier endroit où j'oserais m'aventurer.

Face à ces souffrances, j'ai construit un immense mur, un mur fabriqué de mes peurs, plus grand et plus haut que la Muraille de Chine, plus terrifiant que le Mur de Berlin. J'en ai fait un mur de pleurs où je viens m'abreuver. Ça n'a pas suffit. Au moment où je n'ai plus eu l'énergie nécessaire pour contenir et soutenir mon mur, tout s'est effondré. Bien malgré moi, j'ai dû affronter mes souffrances. Tous ces trésors sont maintenant à portée de la main. Un pas de plus encore...

Nous voilà arrivés à l'église. Johanne sort de l'auto. L'attente des mariés commence. Les invités se regroupent à l'intérieur avec Jean-Louis. Tous ont pris leur place. Jean-Louis attend dans l'église, tandis que Johanne attend à l'extérieur avec Jean-Marc.

Oserais-je dire une attente infernale? Nous sommes dans une église quand même! Les mariés attendent que la société leur donne le feu vert pour s'avancer. Et si cette société les oubliait? Serait-ce possible? J'ai entendu parler de toutes sortes de dépendances. Serait-il possible que celles-ci existent: dépendance aux normes, dépendance à la société, dépendance à l'autorité?

J'entends finalement une musique qui s'élève vers le ciel. La marche nuptiale commence. La distance séparant les deux jeunes tourtereaux diminue. D'un air solennel, Jean-Marc place sa fille, Johanne, près de Jean-Louis. Tous se retournent vers le grand autel pour accueillir le célébrant.

J'aurais voulu faire taire ce qui monte en moi. J'aurais voulu ne pas l'entendre. J'aurais voulu avoir encore cette capacité de refouler mes sentiments. À exprimer ce que je ressens, j'ai peur d'être dérangeant et de blesser.

Timidement, mon regard se tourne vers Tom. Je cherche une parole réconfortante, une porte de sortie pour fuir l'impasse dans laquelle je me suis placé. Tom se rapproche et me souffle à l'oreille:

- Aurais-tu un problème à exprimer ce que tu ressens?

- Je pense que oui.

- Où est la difficulté?

- J'ai l'impression d'avoir quelque chose à dire.

- Jusque-là, tout semble clair. D'où vient l'hésitation?

- Si j'ose m'exprimer, je risque de blesser ou de peiner la personne en avant et peut-être de déranger d'autres personnes avec ce que je pense.

- Avec tous ces peut-être, je comprends ta confusion.

Cette phrase est accompagnée d'un rire à peine étouffé.

- Je ne trouve pas ça plaisant que tu ris de moi, Tom!

- Nuance mon ami, je ne ris pas de toi. Tu as l'impression que je ris de toi!

- Ce n'est pas du pareil au même?

- Pas vraiment. D'affirmer que je ris de toi, c'est juger de l'intention de mon geste. Avoir l'impression que je ris de toi, tu me parles alors de ce que tu ressens face à mon comportement. Ce que tu ressens n'est vrai que pour toi. Tu ne peux affirmer que cela représente la réalité sans avoir pris le temps de vérifier.

- Tu as raison, je vais vérifier. Est-ce que tu ris de moi Tom?

Tout en riant à gorge déployée, malgré la coutume de parler à voix basse dans une église, Tom me répond.

- Oui, je ris de toi.

234

- Pourquoi ai-je toujours l'impression que tu me fais marcher?

- La vie semble si compliquée avec toi. Il faut bien que quelqu'un prenne le temps de dédramatiser ce qui se passe.

- Tom, peux-tu me garantir qu'en exprimant ce que je ressens, personne ne va se choquer?

- Il n'en est pas question! En t'exprimant, tu peux leur faire vivre un paquet de choses, incluant la colère. Mais chose certaine, tu es responsable de ce que tu ressens, ça t'appartient. Ce que tu leur feras vivre, ça leur appartient à eux.

- C'est un peu plus clair, mais je n'ai pas l'impression de comprendre pour autant. Mes appréhensions demeurent malgré tout.

- Je vais te donner un autre petit truc. Reste en contact avec ce que tu ressens. N'essaie pas de fuir ni d'éviter le sujet. Ça te permettra de toucher à une nouvelle satisfaction, soit celle de vivre pleinement ce que tu ressens, sans rien refouler.

- Ça fourmille dans mon ventre, juste à penser à ce que je voudrais te dire.

- C'est bon signe, c'est comme cela que tu peux te sentir vivant. Qu'est-ce que tu veux me dire maintenant?

- Je suis déçu de voir le prêtre en avant.

- Qu'est-ce que tu y vois?

- Un vieil homme blasé. Il a fort possiblement commencé à prendre un verre avant de procéder avec sa cérémonie.

- Qu'est-ce que ça te fait vivre?

- Pour Johanne et Jean-Louis, c'est un instant très important. J'aurais préféré qu'il y mette un peu plus de coeur.

La cérémonie s'est déroulée dans un silence religieux entre Tom et moi. Ce silence, c'est ma façon d'être présent aux mariés, à chacun de leurs gestes et à chacune de leurs paroles.

Les mariés quittent déjà l'église. Je jette un dernier regard à celui qui vient de célébrer la messe. Il me rappelle de mauvais souvenirs. Je suis déchiré. J'ai encore de la difficulté à me ressaisir.

Des millions de confettis tombent du ciel, puis viennent se déposer sur les mariés, telles des pensées de bonheur et de joie que l'on déposerait sur leurs apparats.

Tout le monde s'arrête un instant dans l'escalier de l'église pour immortaliser l'événement sur la pellicule photographique. Je ferme les yeux quelques instants pour immortaliser l'événement sur ma propre pellicule émotionnelle.

Les invités regagnent leurs véhicules. Le cortège s'ébranle bruyamment en suivant un Cadillac rouge. C'est une décapotable 1958 qui véhicule les jeunes mariés.

Pourquoi un véhicule des années du Rock n'Roll? Ces années ne représentent pas grand chose pour les mariés. Pour eux, ce mariage représente une nouvelle vie et un nouveau départ. C'est sûrement un rappel pour les autres générations, une façon de les faire participer plus activement. Chose certaine, cette décapotable rouge 1958 fait partie de mes rêves. Elle symbolise l'adolescence frénétique que je n'ai pas connue.

Dans tout ce branle-bas vers une nouvelle vie, il y subsiste un besoin de rester en contact avec notre vécu et nos racines; ce besoin de ne pas oublier ce cheminement qui nous amène vers une nouvelle expérience. Sans ce vécu, nous ne pourrions pas être là où nous sommes aujourd'hui.

Nos racines sont souvent teintes de diverses souffrances qui deviennent nos balises vers une nouvelle vie. Pendant longtemps, j'ai eu tendance à m'accrocher à ces balises plutôt que de regarder le chemin qu'elles pouvaient me faire découvrir, juste devant moi.

Une balise a deux sens, deux façons de la percevoir. La partie supérieure, que je veux montrer, sert à éclairer et à rayonner. Sa base est cachée dans le sol, en contact avec mes racines. Cette partie qui sert à soutenir le haut, je la cache et elle demeure secrète.

Dans le tumulte des klaxons, le stationnement est envahi par une multitude de véhicules. Le stationnement n'a pas la capacité de prendre plus qu'il ne le peut. Trop, c'est trop! Devant le stationnement, un écriteau affiche "COMPLET".

Les derniers arrivants se garent dans les rues avoisinantes. On ne peut donner plus qu'on a. Si l'on veut en prendre plus, il faut se faire de la place, au risque de déplaire ou de choquer. Et voilà cette grande dame en robe de bal qui marche un peu plus pour se rendre à la salle. Qu'elle l'accepte ou non, frustrée ou non, le stationnement a une limite et son gardien la fera respecter.

Chapitre 31

Une grande salle a été minutieusement préparée. Dans l'entrée de la salle, placés bien en évidence, nos deux mariés, Johanne et Jean-Louis deviennent les héros de ce jour mémorable. Jacqueline et Jean-Marc, les parents de Johanne, se placent à leur droite. Agnès et Marcel, les parents de Jean-Louis, se retrouvent à leur gauche.

Les invités défilent un à un pour saluer le groupe. Les félicitations pleuvent de partout. Les encouragements sont accueillis le mieux possible.

Certains jours de tristesse et de solitude, j'aurais aimé entendre un seul de ces encouragements. Ici, il y en a trop. Demain, il en manquera. Je pourrais crier à l'injustice face à de tels excès.

Je passe devant Tom pour leur présenter mes félicitations. Tom s'attarde plus longtemps avec les mariés. Ceux-ci s'esclaffent quelques instants avec Tom. Derrière lui, quelques invités s'impatientent du temps qu'il prend à converser. Johanne et Jean-Louis apprécient ses commentaires. Tom ne se préoccupe pas de l'impatience des autres invités.

J'attends Tom dans la salle. Je suis curieux de le voir pour enfin connaître les raisons de ces rires. Finalement, Tom me rejoint dans la salle.

- Charmant, ce jeune couple.

- Tom, pourquoi as-tu mis tant de temps à les féliciter?

Tom essaie de me regarder et de me parler. Il s'étouffe dans un rire un rire à gorge déployée, comme j'en ai jamais entendu de la part de ce cher Tom. Un rire d'enfant, sans malice et tellement franc! Je ne peux m'empêcher de me demander ce que j'ai pu dire ou faire pour provoquer une telle hilarité. À quelques reprises, Tom tente de m'adresser la parole, mais repart à rire de plus belle. Tranquillement, son rire s'éteint peu à peu, tandis qu'il essuie quelques larmes.

- Ça te fait vivre un malaise que j'aie eu le goût de féliciter les gens à ma façon?

- Moi?

- Oui, toi!

- Moi, j'ai admiré ton calme. J'ai aussi été touché de te voir rire avec les mariés. C'est comme si tu étais devenu pour eux un rayon de soleil ou une pause rafraîchissante pour les faire souffler un peu avant de continuer à accueillir tous les autres invités.

- Alors il est où le problème?

- Certaines personnes, derrière toi, s'impatientaient.

- C'est curieux, quand tu parles de toi, j'entends de l'admiration. Tu sembles bien avec ce qui s'est passé. Quand tu parles en fonction des autres, j'entends de la gêne ou de la frustration, voire même de la confusion.

- ...

- J'ai l'impression d'ébranler une forteresse. C'est agréable.

Tom repart avec son rire. C'est un rire qui ne peut laisser personne indifférent. C'est un rire communicatif et sans prétention.

Tom a effectivement ébranlé ma forteresse. Des remparts d'observation qui me servent à juger mes comportements en fonction des réactions des autres. Des remparts qui m'empêchent de vraiment voir et sentir ce que je vis. Malgré les années de travail que j'ai mises à la construire, ma forteresse s'écroule si facilement devant le rire de Tom.

Les blocs de ciment s'écroulent sous le rire de Tom qui s'amuse comme un enfant. Ma forteresse devient un jeu de legos qu'il défait pour mieux recommencer. Malgré tout le sérieux de mon château fort, derrière toute la froideur de cette construction et au centre de tous les masques que je peux créer pour me cacher, il existe en moi un petit enfant qui ne demande qu'à s'amuser et à rire à gorge déployée.

Tandis que prend fin cette conversation avec Tom, le défilé des invités devant les mariés se termine. J'effectue un bref tour d'horizon, mais je ne vois pas la belle Alexandra. Absente à l'église la réception commence elle n'y est pas non plus? Dois-je me résigner à l'idée que mon invitation soit tombée dans l'oubli?

Dans la salle, les invités s'éparpillent tel un fleuve qui se jette dans la mer. Lentement, de petits îlots se forment. On échange et on rit. C'est l'occasion, pour certains membres de la famille, de se retrouver ensemble. Sommes-nous attirés par nos similitudes ou par nos différences? Tom me souffle une réponse.

- La similitude de nos différences peut-être?

- Mais d'où me sors-tu une telle théorie?

- Ferme les yeux un instant et imagine cent personnes dont tous les besoins sont comblés.

- C'est fait.

- Fais le vide maintenant de l'affectivité de deux de ces personnages.

- Je les imagine avec un trou sur le côté.

- Sur cent personnes, tu en as deux qui sont différentes.

- C'est évident.

- En prenant l'une de ces deux personnes qui a un manque affectif, par laquelle des quatre-vingt dix-neuf autres personnes risque-t-elle d'être la plus remarquée?

- Par celle qui a aussi un manque affectif, je suppose.

- Est-ce que tu imagines une attirance ou une répulsion entre ces deux personnes?

- Une attirance, parce que ces deux personnes ont le même besoin à combler.

- Ou encore une répulsion, si ces personnes ont une gêne ou une certaine difficulté à exprimer leur manque.

- Donc, j'imagine que mes deux personnages sont, soit très près, soit très éloignés l'un de l'autre.

- Une chose semble certaine, consciemment ou inconsciemment, l'un risque de ne pas être indifférent à l'autre.

- Donc, cette différence dans le groupe crée une dynamique, un mouvement.

- Je te laisse méditer tout cela je vais danser un peu.

Pendant que Tom se dirige vers la piste de danse, je revois ce manque d'affectivité que je viens de représenter par un trou dans le côté. Pour certains, ce trou ressemble plus à un gouffre sans fin, un abîme prêt à tout engloutir pour satisfaire son manque. Jusqu'où suis-je prêt à aller pour combler ce vide? Comment conserver mon harmonie et ma sérénité si le manque n'a plus de limite? Les gens que je croise ne deviennent-ils pas des accessoires que je vais manipuler juste pour tenter de remplir ce gouffre?

Mes yeux se promènent dans la salle. Je vois des gens se rapprocher d'autres s'éloigner. Un certain équilibre se crée. Tout à coup, une personne quitte son groupe. Ce groupe se dissout et l'équilibre est à refaire. L'équilibre est en perpétuel changement. Il se bâtit dans le mouvement.

Tom revient de la piste de danse et me dit:

- L'équilibre est dans le changement, l'équilibre statique n'est qu'une illusion, une théorie contraire à l'essence même de la vie.

Tom n'apprécie pas mon air interrogateur. Il poursuit:

- Essaie de ne pas bouger, de rester en équilibre.

Je m'immobilise, je retiens mon souffle et je cesse de cligner des yeux. Après quelques instants d'immobilité quasi parfaite, Tom me regarde dans mes yeux fixes.

- Ton coeur a-t-il arrêté de pomper ton sang?

Avec une telle question, je n'ai pu m'empêcher de rire et de quitter mon immobilité inconfortable. Tom continue:

- La vie est une série de changements et d'adaptations diverses.

Sous le rythme d'un Rock n'Roll, Tom retourne vers la piste de danse. J'ai cru l'entendre dire: "Faut que ça bouge".

Chapitre 32

Je me retrouve au milieu de la foule. Le son du Rock n'Roll couvre mes pensées. Le va-et-vient me heurte et me blesse. J'ai besoin de m'éloigner un peu.

Je suis physiquement présent mais mon coeur est ailleurs. Je peux faire semblant d'être présent, mais je ne participe pas. D'où vient ce malaise? J'ai l'impression d'être dans un désert. Je suis là, on peut me voir, mais personne ne peut me toucher ni sentir ce que je ressens. Même moi, je ne me sens plus. Suis-je rendu à n'être qu'un simple mirage? Comment puis-je n'être qu'un mirage pour autrui sans en être un pour moi-même?

Dans mon désert aride, j'entends des pas se rapprocher. La main de Tom, posée sur mon épaule, me fait sursauter.

- Je te sens loin, mon ami.

- Je pense que oui.

- As-tu le goût d'en parler un peu.

- J'ai peut-être le goût, mais je ne sais quoi te dire, ni de quoi parler? Il y a un grand vide. C'est le néant total.

- Très intéressant. On peut partir de ce vide qui t'envahit.

- Partir de rien?

- Derrière tous ces grands vides se cachent tant de belles choses. C'est un peu comme la semence en terre. Tu as beau regarder, tu ne vois rien à l'horizon, c'est le vide total. Mais derrière ce vide, une métamorphose va bientôt se produire la semence va germer. Quelque chose fleurira en toi, sans savoir quoi, ni quand. Ne fuis pas ce vide.

- C'est très poétique Tom, mais moi je me retrouve dans un désert à n'être qu'un simple mirage de ce que je suis. Ta semence dans mon désert risque de se dessécher rapidement!

- Tu es déjà prêt à conclure. Recommence au début, si tu le veux bien. Reste en contact avec ce vide au lieu de le fuir.

- Je me sens perdu. Il n'y a pas grand chose à dire.

- Commence par me dire ce que tu vois, ce que tu ressens.

- Beaucoup de monde qui fête, qui s'amuse.

- Tu me parles des autres qui s'amusent. Parle-moi de toi. Est-ce que toi tu t'amuses avec les autres?

- Non pas vraiment, je me sens seul.

- Continue de me parler de ce que tu ressens.

- Beaucoup de gens parlent entre-eux, crient pour se faire entendre, parlent de je ne sais quoi et à j'ignore qui.

- Et qu'est-ce que tu ressens face à cela?

- J'aurais le goût de parler aussi, mais je n'ai pas envie de crier pour me faire entendre. Je n'ai pas le goût de parler de n'importe quoi ni de me faire interrompre.

- Et, entre ce que tu veux et ce que tu ne veux pas, qu'est-ce que tu ressens?

- Un grand vide immense un grand trou.

- Je le trouve intéressant ce vide. Je le vois comme une frontière, une limite que tu te donnes. C'est juste au centre, entre ce que tu veux et ce que tu ne veux pas vivre. D'un côté, tu as le goût de parler et de rencontrer des gens, mais de l'autre, pas sur n'importe quel sujet et pas dans n'importe quelle condition. Tu as un choix à faire. Si tu ne fais pas de choix, si tu ne passes pas à l'action, c'est là où tu resteras dans un vide le néant.

- Finalement ce n'est pas un vide, c'est un tiraillement ou un déchirement entre deux choses.

- Félicitations! Tu viens de définir ce que représente un vide pour toi. Tu as maintenant la responsabilité de faire un choix.

- C'est vrai que face au vide, j'ai tendance à voir les autres s'amuser et j'oublie de regarder ce que j'ai vraiment le goût de vivre. Le plus important, c'est de revenir à moi et de me demander pourquoi je ne m'amuse pas, puis faire mes choix en fonction de ce que je veux réellement.

- La prochaine fois que tu feras face à un vide ou à une incertitude, ne reste pas assis à te plaindre ou à bouder. Évalue tes choix et passe à l'action. Arrête d'être comme un spectateur insatisfait de sa vie et deviens un acteur qui s'amuse à vivre pleinement la sienne.

Tom, lui, a déjà fait ses choix. Il est reparti gaiement vers la piste de danse. Il danse et chante. Il est drôle à regarder. Il est hors normes, ce Tom voire même dérangeant pour certains. Toutefois, il a tellement l'air de s'amuser qu'on lui pardonne facilement.

Pendant ce temps, je reviens à mes choix. Ce vide devant moi, cet espace de ma vie qui ne demande qu'à faire fleurir mes choix mais surtout mes actions. Dans cette zone d'indécision entre ce que je veux et ne veux pas, c'est cet équilibre que j'ai à trouver et qui se définira autour de mes choix.

Je ne sais pas pourquoi, mais je pense à ce professeur de chants que j'ai croisé récemment. Un être extraordinaire, ce Guy Robitaille. Quand je le croise, c'est pour parler de chant. L'enseignement que Guy m'a laissé revient dans différents contextes et me fait vivre quelque chose d'extraordinaire.

Il m'a présenté sa façon de voir le chant comme un acrobate sur son fil de fer. Le fil de fer, c'est la note que l'on veut atteindre. Pour s'aider, l'acrobate utilise une perche métallique pour garder son équilibre chancelant.

Cet équilibre est composé de deux extrêmes. D'un côté, il y la connaissance musicale, l'expérience, la théorie, le rationnel. De l'autre côté, il y a la voix du coeur, l'émotion et l'intuition.

Pour rester en équilibre, l'équilibriste doit garder sa perche bien centrée. S'il déplace sa perche trop du côté théorique, rien du côté émotionnel, il aura à travailler fort pour rester en équilibre. L'inverse le fera travailler tout aussi fort.

C'est par un juste équilibre qu'il pourra avancer si aisément, sans forcer. Sa perche bien centrée lui servira de contre-poids. Il peut atteindre cet équilibre de deux façons: diminuer la longueur de perche de son côté fort pour la ramener à la longueur de son côté faible ou travailler son côté faible pour l'amener à la même longueur que celle du côté fort. De plus, entre ces deux extrêmes, il peut faire tous les compromis qu'il veut.

Tom me surprend encore dans mes rêveries. Après lui avoir expliqué cette image de Guy Robitaille, il me dit:

- C'est une belle allégorie. De plus, tu peux appliquer cette image pas juste au chant, mais à la peinture, à l'écriture, à l'infographie ou à toute autre forme d'expression.

- Oui, c'est vrai. Je n'ai plus la sensation de subir ma vie comme un grand désert. À présent, j'ai l'impression d'avoir plus de pouvoir sur mes choix.

- C'est plaisant à entendre. Je te laisse t'amuser avec ton fil de fer. Laisse-moi maintenant retourner sur cette fameuse piste de danse. J'ai le goût d'aller danser sur mon fil de fer!

Il repart une fois de plus. En comprenant mieux l'équilibre que j'ai tant recherché, je peux maintenant plus facilement admirer celui de Tom. Je vois toute sa facilité à être naturel.

Je ferme les yeux quelques instants. J'imagine mon professeur de chant, Guy Robitaille, en équilibre sur son fil de fer, en train de chanter gaiement.

Chapitre 33

Je me promène dans la salle. Qu'est-ce que j'ai le goût de vivre à cet instant précis? Dans le fond de la salle, j'aperçois Jean-Louis. Il converse avec ses parents.

Au fur et à mesure que je m'approche d'eux, je vois que la conversation se remplit d'émotivité. À mon arrivée, ses parents quittent Jean-Louis, le laissant avec quelques larmes aux yeux.

- Ça va Jean-Louis?

- Ébranlé par l'échange que je viens de faire avec mes parents.

- Une journée importante aujourd'hui?

- C'est plus que cela. Il y a certaines choses que je ne t'ai pas dites. Il y a une dizaine d'années, j'ai eu une brouille avec mes parents. Je n'acceptais pas vraiment leur façon de vivre et de penser. J'ai quitté la maison et je n'y suis retourné qu'au printemps dernier, pour leur annoncer mon mariage.

Jean-Louis dut s'arrêter quelques instants pour reprendre son souffle, tant l'émotion était forte.

- Pendant ces dix années, j'aurais voulu les revoir prendre un peu de temps avec eux pour partager mes joies et mes peines.

- Et qu'est-ce qui t'en empêchait?

- J'attendais que mon père fasse les premiers pas. Mon orgueil m'empêchait d'avancer. Je suis resté dix ans dans l'attente. Je voulais lui prouver que j'étais plus fort que lui.

- Qu'est-ce que ton père vivait pendant ce temps?

- La même chose que moi. Il a le même caractère que moi, c'est ça qui me choque.

- Ou plutôt c'est toi qui as le même caractère que lui?

Cette dernière remarque nous amène à en rire un peu. C'est un rire qui soulage Jean-Louis de la tension accumulée. Doucement, il poursuit:

- Quand j'ai décidé de me marier, mon besoin de revoir mes parents a été plus fort. J'ai décidé de dépasser mon orgueil et d'aller les rencontrer.

- Tu as réussi à trouver un beau cadeau, celui des retrouvailles avec ta famille. C'est plaisant.

- Si tu nous avais vus, mes parents et moi, lorsqu'on s'est revus. Je me demande comment j'ai fait pour rester dix ans à souffrir ainsi avant d'aller vers eux.

- Ça valait la peine de piler sur ton orgueil?

- Moi qui avais peur que mes parents jugent mon comportement ainsi que toutes ces choses que j'ai dites et que j'ai faites. J'avais peur qu'ils n'acceptent pas mes choix de vie.

- Et ça n'a pas été le cas?

- C'est ma mère qui a réussi à faire fondre le mur de glace que j'avais créé entre mon père et moi. Elle a dit qu'elle m'accepte et m'aime pour ce que je suis aujourd'hui, tel que je suis, peu importe ce qui a été dit et fait.

- Sans chercher un coupable, sans juger personne.

- Elle a quand même pris le temps d'exprimer les peines qu'elle a ressenties. Elle a parlé de ce qu'elle accepte et n'accepte pas de vivre aujourd'hui, en partant de l'instant présent et non pas en fonction du passé.

Sur les dernières paroles de Jean-Louis, je le laisse à d'autres invités et je me retire. Je suis touché par la beauté de cette expérience. Elle réveille en moi une peine et une tristesse qui sont encore là. Autant j'éprouve une joie intense pour Jean-Louis et ce qu'il lui est arrivé, autant je suis envahi par l'intensité de ma peine en pensant que je n'aurai plus la chance de vivre une expérience semblable.

Le décès de mes parents empêche tout espoir de retour. Même si je voulais rétablir la communication avec mes parents, il est trop tard, pour moi. Le dernier train a déjà passé et je suis resté à la gare...

Je voudrais fuir cette tristesse ainsi que le souvenir de mes parents disparus, pour courir vers eux et me réconcilier, comme l'a fait Jean-Louis.

Je dois accepter d'avoir trop attendu et assumer la responsabilité des conséquences. Je voudrais pouvoir fuir ce déchirement, cette nostalgie. Tout cela me fait prendre conscience qu'il est important d'exprimer mes émotions et mes sentiments au fur et à mesure, malgré les risques que cela peut comporter.

On peut toujours remettre à demain. Mais un jour, il n'y aura plus de lendemains possibles. Combien de temps puis-je me permettre d'attendre avant de dire à quelqu'un que je l'aime?

Cet échange avec Jean-Louis m'essouffle. Je suis ébranlé par les extrêmes que cela me fait vivre. La joie et le bonheur de Jean-Louis s'opposent à ma peine et à ma souffrance.

Je m'assieds, seul à une table, pour méditer un peu. Je sens une main sur mon épaule, une forme de support et de réconfort. Tom prend place à mes côtés.

- Tu sais, Tom, que ces extrêmes me font peur.

- Quelle sorte de peur?

- En exprimant à Jean-Louis ma propre tristesse devant un événement heureux pour lui, j'ai peur qu'il ne puisse apprécier son présent bonheur à cause de moi. J'ai peur d'être dérangeant et déplacé un trouble-fête.

- Ça fait beaucoup de peurs en même temps.

- Oui. J'aurais juste le goût de quitter la salle avant de gâcher la réception.

- Quand Jean-Louis t'a raconté ses retrouvailles avec ses parents, à quoi pensais-tu?

- Je me retenais pour ne pas pleurer et pour ne pas lui laisser voir ce que je ressentais.

- Plus il parlait de sa joie et moins tu l'écoutais. Tu étais concentré à étouffer ta peine.

- Tu exagères Tom, j'ai entendu tout ce qu'il a dit.

- Je sais, tu as entendu des mots. Mais as-tu pu ressentir l'intensité de l'émotion que ces mots véhiculaient?

- C'est vrai que Jean-Louis à dû trouver ma réaction plutôt tiède.

- Étouffer son émotion rend sourd.

- En y réfléchissant bien, je pense même que Jean-Louis avait envie de continuer à parler. Il s'est probablement arrêté lorsqu'il a senti que je n'étais pas réceptif.

- D'un côté, tu cherches à étouffer ta peine et de l'autre, tu as le goût de partir.

- Et de l'autre, Jean-Louis n'a pas pu partager l'intensité de sa joie.

- Donc, une rencontre assez neutre. Par peur d'être dérangeant avec ta peine, tu ne peux partager la joie des autres.

- Mais qu'est-ce qui se serait passé si j'avais exprimé toute la souffrance que je ressentais au récit de Jean-Louis?

- La seule façon de le savoir, c'est de l'expérimenter.

- L'expérimenter?

- Tu te lèves, tu vas voir Jean-Louis et tu exprimes ce que représentent pour toi ses retrouvailles avec ses parents.

- Euh!

- Ou encore, tu restes là à te morfondre et en désirant partir.

- Euh!

- Je te laisse à tes choix. Toi seul connaît la solution. Je n'ai rien à t'imposer.

Tom me laisse seul. Il retourne s'amuser sur la piste de danse. Finalement en essayant de ne pas être dérangeant pour les autres, je le deviens encore plus.

Je vois Jean-Louis qui est maintenant seul. Je trouve le courage d'aller vers lui. Avec difficulté, je lui confie ma peine et ma tristesse. Je lui dis la chance qu'il a eue et lui raconte mon rendez-vous manqué avec mes parents.

Chaque mot que nous échangeons ensemble vibre à travers tout mon corps. L'intensité du bonheur n'a d'égal que l'intensité de la peine que j'ai en moi. Pour la première fois de ma vie, je vis l'intensité de ces deux extrêmes en même temps. Un état de bien-être m'envahit. Ma sensibilité circule dans tout mon corps. La salle change de couleur et je n'ai plus le goût de partir. J'ai juste le goût d'apprécier cet instant de partage, tout doucement.

Chapitre 34

Je me retrouve encore une fois avec Tom. Face à face, autour d'une petite table ronde.

- Tu sais Tom, je suis content d'avoir partagé ma tristesse avec Jean-Louis, mais en même temps, je suis déçu de moi.

- Je suis prêt à t'écouter.

- Avec tout le travail qu'on a fait ensemble jusqu'à présent, je croyais bien avoir définitivement mis au rancart mon armure et que je ne me laisserais plus embarrasser par elle, comme je l'ai fait à ma première rencontre avec Jean-Louis.

- Et tu as l'impression que tu as remis ta grosse armure?

- Oui et non. Oui, quand je pense à ma première conversation avec Jean-Louis. Toutefois, quand je pense aux échanges que j'ai pu avoir avec d'autres personnes non.

- Et ça te laisse perplexe?

- C'est comme si en enlevant mon armure, j'avais un grand trou en avant qui me permettait d'être en contact avec moi-même et d'être en relation avec les autres.

- Et puis?

- En même temps, c'est comme si, selon la personne et le contexte, je me retrouvais encore une fois prisonnier de cette armure.

- Comme si cette personne touchait à un point plus sensible.

- En touchant à cette sensibilité, ça me fait mal très mal.

- Et qu'est-ce qui se passe à ce moment-là?

- Mon armure revient me protéger de la souffrance que Jean-Louis m'a fait vivre.

- Étais-tu conscient de ce qui se passait?

- Pas vraiment, cela s'est fait à mon insu.

- Comment t'es-tu senti dans cette première rencontre avec Jean-Louis?

- Je me sentais attaqué par l'extérieur en même temps que ça brûlait à l'intérieur. J'avais juste le goût de disparaître.

- Et lors de ta deuxième conversation avec Jean-Louis?

- J'ai pris conscience de cette souffrance et j'ai accepté l'idée d'en parler à Jean-Louis, au lieu de le fuir.

- Est-ce que ton armure est apparue?

- J'étais conscient et j'acceptais qu'elle soit là, mais différemment plus petite, plus souple et avec toute une série de trous en avant.

- Qu'as-tu ressenti lors de ta mise au point avec Jean-Louis?

- Je ne la sentais pas s'imposer. Je la sentais beaucoup moins étouffante. J'étais capable de rester moi-même tout en me protégeant. Cela m'a permis de vivre une relation à mon rythme et avec une intensité que je pouvais assimiler.

- Et les trous en avant! C'est pas contradictoire?

- Ça me permettait de laisser sortir ma sensibilité et d'être réceptif à ce que me disait Jean-Louis, mais à mon rythme, sans me brusquer, sans me sentir écrasé par l'extérieur, ni déchiré de l'intérieur.

- Toute une nouvelle expérience! Je suis content pour toi. C'est correct d'avoir une armure avec certaines personnes ou dans certains contextes. Tu as à apprendre à l'utiliser, à jouer avec. Elle est là pour te protéger.

- Mais toi, Tom, aurais-tu vécu cela de la même façon?

- Sûrement pas. Je suis différent. Je n'ai pas le goût que tu commences à vouloir te comparer.

- Juste pour savoir. Ai-je été correct ou ai-je quelque chose à changer?

- Tu n'as pas à changer, juste pour le plaisir de changer ou pour me faire plaisir. Ce qui est important, c'est que tu trouves ta propre solution et que tu te sentes bien.

- La seule solution valable à ce que je viens de vivre est celle que je me suis créée.

- Pour le moment.

- Comment ça, pour le moment?

- Parce que dans quelques mois, face à la même situation, tu ne seras plus le même. Tu réagiras de façon différente avec les expériences qui se seront ajoutées à ton bagage.

- Le monde doit donc être recréé à tous les jours?

- Pas le monde, ton monde.

Chapitre 35

Je continue de me promener d'une table à l'autre et d'un groupe à l'autre. Avec certains, je ne m'arrête que quelques instants, tandis qu'avec d'autres, mon plaisir est plus grand et je reste plus longtemps. Le plaisir que j'y trouve est intense.

Toutefois, certains départs me peinent. J'aurais voulu qu'on continue ensemble encore quelques instants. Avec d'autres personnes, c'est le contraire, j'ai hâte de sortir du groupe.

Je rejoins Tom sur le plancher de danse, pour lâcher un peu mon fou. Je me réénergise, tout en dépensant un peu d'énergie une autre contradiction!

Tout le monde bat la mesure sur cette musique endiablée pour retrouver un peu de cette sagesse perdue. Toutes sortes de mouvements se côtoient, sans crier gare. Certains comptent leurs pas pour suivre la musique, d'autres suivent la musique pour ne plus compter.

Original, marginal, dérangeant, déplacé, conforme, conservateur, réservé, chacun de leurs gestes s'harmonise, sans discrimination.

La musique change en un rythme plus langoureux, plus sensuel. L'éclairage se tamise. Un à un, des couples se forment sur le plancher de danse. Doucement, les corps s'ajustent et suivent ce nouveau rythme, telles des fleurs qui se laissent bercer par un même vent de sensualité.

Avec l'aide de Tom, je trouve une table. Je m'imagine admirer un champ de fleurs, par une soirée de printemps, à la pleine lune. Dans ma contemplation, j'entends la voix de Tom murmurer au loin:

- L'intensité...

- Tom! Je suis en pleine sensualité et tu me parles de Rock n'Roll!

- La différence que tu recherches, peut-être que tu peux la trouver dans l'intensité.

- L'intensité de la sensualité?

Je continue d'admirer mon jardin de fleurs. À première vue, tous ces couples sont identiques. Tous semblent avoir trouvé un terrain commun. Malgré tout, quelques différences commencent à faire surface.

Deux danseurs enlacés veulent se fondre l'un dans l'autre. Cet autre couple garde une distance entre eux. Par respect de l'autre ou par peur l'un de l'autre, le même geste si banal soit-il peut cacher tant d'émotions différentes d'un couple à l'autre. À côté, un autre couple; il la retient contre son gré tandis qu'elle n'ose avouer son inconfort. L'une sauterait dans les bras de l'autre, mais il ne cesse de reculer. Ces deux là, chacun dans leur coin, restent dans l'attente que ce vent de sensualité leur ramènera l'âme soeur.

Ces deux autres font la tournée d'une table à l'autre, cherchant à combler ce vide et pour trouver quelqu'un à tout prix. Ceux-là, dans le fond de la salle, se contentent de regarder ce jardin rempli de sensibilité, tandis que d'autres préfèrent s'exhiber.

Je me retourne vers Tom, comme si je comprenais, mais n'osais pas utiliser les bons mots. Pour la première fois, je peux voir Tom dans toute sa sensibilité et sa tristesse. Il me lance cette phrase:

- Regarde encore ces danseurs. Au lieu d'y voir de la sensualité, pense à la sexualité. Le même événement, vu sous un autre regard, peut te faire vivre des choses différentes.

Je sens maintenant des couteaux qui me lacèrent l'intérieur de mon corps. Dans un événement qui peut paraître identique à un autre, il y a tant de différences cachées, tant de souffrances douloureuses tant d'événements qui aient pu marquer une vie, comme ils ont marqué la mienne.

Il y a tant d'événements que j'ai occultés, tant de gestes qui me rappellent ces souvenirs oubliés. Un rien me ramène à cette souffrance, sans que je comprenne pourquoi.

- Tom, tous ces incidents me blessent encore.

- Ils font partie de ta vie.

- Qu'est-ce que je fais avec cette souffrance qui remonte?

- Tu as déjà essayé de l'oublier.

- Et elle est revenue me chercher sans que je m'en rende compte.

- Tu as toujours essayé de la fuir par tous les moyens.

- Et subtilement, elle réussit encore à revenir malgré tout.

- Tu as déjà essayé de raconter ces évènements?

- J'ai raconté à tous et chacun ce qu'il m'était arrivé. Je n'ai fait que banaliser mes expériences de vie. J'ai l'impression qu'on ne peut pas m'entendre, qu'on ne peut pas comprendre tout ce que j'ai vécu.

- Tu as même essayé de choisir un nouvel entourage, de raconter à des gens en qui tu avais confiance et qui pouvaient te comprendre.

- À la limite, j'ai senti un peu de compassion, parfois même de la pitié.

- Ce n'est pas l'événement qui est important, c'est l'état d'âme qui en reste qui l'est.

- Et cet état d'âme, qu'est-ce que j'en fais?

- Que te reste-t-il que tu n'aies pas encore essayé?

- Accepter que sa présence vienne encore me faire souffrir. Je trouve cette acceptation de la souffrance un peu masochiste.

- Aurais-tu une autre solution plausible?

- J'ai l'impression que j'ai déjà tout essayé et que je n'ai plus rien à perdre.

- Cette émotion, cette souffrance qui vient te chercher de temps à autre, ne l'anticipe pas. Accepte-la, quand elle arrive, au lieu de l'appréhender des semaines durant.

- Accepter de vivre ma souffrance quand elle est là, aussi intense soit-elle.

- Et profiter de ton bonheur quand elle n'y est pas.

- Vu comme ça c'est déjà un peu moins masochiste.

- Quand tu prendras le temps de vivre l'intensité de ta souffrance dès l'instant où elle arrivera, en bout de ligne, elle s'estompera plus vite que tu ne le crois.

- Ce qui me laissera plus de temps pour être heureux! C'est plaisant!

Par la suite, la conversation tourna autour de différents sujets. J'ai quand même remarqué la facilité avec laquelle Tom pouvait vivre ses émotions. Un sujet peut lui apporter quelques minutes de souffrance provenant du plus profond de ses entrailles, tandis qu'un autre sujet provoquera un éclat de rire. Que d'extrêmes en si peu de temps, mais que d'intensité!

La profondeur du rire à gorge déployée de Tom n'a d'égal que l'intensité de la souffrance qu'il peut exprimer. Tranquillement, je deviens de plus en plus songeur et méditatif. Tom me ramène amicalement.

- Je suis en train de te perdre, tu n'es plus là.

- Je pense à tout ce dont nous venons de parler.

- De l'importance de vivre l'émotion dans l'instant présent, aussi souffrante puisse-t-elle être.

- J'ai l'impression que j'ai été élevé différemment, juste à l'inverse.

Le ton de la voix Tom est plus rapide et plus sec.

- J'espère que tu ne veux pas faire le procès de tes parents et de tes éducateurs.

- Mais mon éducation vient d'où?

- J'ai le goût de te dire que tes parents et éducateurs ont fait de leur mieux, au meilleur de leurs connaissances et selon le contexte du moment.

- Je suis d'accord, mais...

- Tu n'as pas à trouver un coupable pour justifier ce que tu es ni sur la façon que tu peux avoir déformé ta vie.

- Que je l'ai déformée!

- Lorsque tu reçois une directive étant jeune, en fonction du contexte, cette consigne est peut-être pertinente. Mais si tu prends pour acquis cette directive et veux l'appliquer dans un contexte différent, elle ne sera peut-être plus adéquate. La responsabilité ne repose pas seulement sur l'éducation reçue. Tu es également responsable de déterminer ce que tu vas faire de cette éducation avec le temps. Tu as à te remettre en question régulièrement.

J'ai l'impression de recevoir une douche froide. Je me demande si Tom est vraiment réceptif ou si j'ai le courage de continuer à me confier.

Tom me fixe avec un petit sourire et calmement, il enchaîne:

- Maintenant que je sais que nous sommes sur la même longueur d'onde, je suis prêt à t'écouter.

- Ce que j'ai retenu de mon éducation, c'est que lorsqu'il y a un événement triste, je dois donner l'exemple.

- Te montrer fort et robuste?

- Oui. Si le conflit aboutit à une bataille sanglante, je dois défendre les autres.

- Te montrer fort et robuste?

- Que pour l'honneur et mes principes, je dois combattre la tête haute, sans jamais broncher.

- Te montrer fort et robuste?

- Devant tous ces évènements qui m'ont blessé, devant toute cette peine qui m'envahit, je dois me montrer fort et robuste.

- Et, dans tout cela, qu'est-ce que tu aurais aimé entendre?

- Que face à cette peine, en tant qu'enfant, oui c'était normal d'avoir de la peine. Dans cette souffrance, oui, c'est normal de souffrir. Oui, j'aurais eu le goût de me donner le droit d'exprimer cette souffrance qui me ronge.

- Au lieu de toujours te faire répéter que tu dois être fort et robuste...

- J'aurais voulu m'accorder ce droit d'exprimer ma sensibilité qu'on accepte ma fragilité dans des bras ouverts devant moi de pouvoir poser ma tête sur l'épaule qui veut me réconforter qu'on accepte que je sois entendu dans cette tristesse, par une oreille compatissante d'accepter d'être vulnérable devant mes amis

- Te sentir fragile, te faire entendre dans ta tristesse, être vu dans ta sensibilité, toucher le réconfort, tout cela te permet en effet de vraiment goûter au vrai sens de ta vie, c'est-à-dire l'expression de ta sensualité.

- Ma sensualité?

- Dans ce que je viens d'énumérer, tes cinq sens sont impliqués, et quand tu laisses libre cours à tes sens, tu libères ta sensualité.

- Être capable de vivre mes émotions, retrouver la liberté de ma sensualité, harmoniser l'expression de l'émotion qui vibre dans mon corps...

Un grand silence suivi cette discussion avec Tom. Je veux prendre le temps de tout mûrir cela avant d'ajouter quoi que ce soit d'autre. J'ai peur d'en prendre trop ou trop vite. J'ai le goût de respecter mon rythme pour ne pas m'essouffler et me sentir brusqué, de rester en contact avec cette nouvelle réalité, sans la justifier ou la raisonner, juste pour le plaisir de laisser cette nouvelle semence faire son oeuvre par elle-même.

Chapitre 36

Je me retrouve seul à la table, en transit. Je reprends mon souffle, pour digérer ce que je viens de vivre et pour me préparer à profiter de ce qui s'en vient. Je ne sais pas encore.

Je regarde tout autour. Tous ces groupes qui discutent ensemble. Je ne suis pas intéressé à me lever. Une transition ou une attente? Est-ce la fin d'une expérience, le début d'une autre ou le vide entre les deux? Ce vide qui dit tout et qui ne dit rien.

Soudain, je m'interroge et je m'étonne! Au loin, une silhouette me semble familière. Je ne peux la définir encore. Pourtant, un souvenir remonte. Serait-ce elle? Alexandra Lajeunesse! Cette grande dame de l'esthétique aurait-elle répondu à mon invitation ou est-ce le hasard qui l'amène?

Je n'ai pas le temps de me poser d'autres questions. Une impulsion me pousse à agir et à poser un geste irréfléchi. Ce geste n'aurait probablement jamais été posé, si ma tête avait pris le temps de réfléchir.

Intuitivement, le bras se lève et la main s'agite. Un geste d'accueil ou d'invitation, pour dire: "Bonjour, je suis content de te voir" ou encore: "Allô! Je suis là, m'as-tu vu"?

Avec une certaine gêne, certains muscles de la bouche se tendent et se détendent. Tout est encore très relatif. En bout de ligne, cette main qui s'agite est accompagnée d'un sourire ou du moins, quelque chose qui tente de lui ressembler.

Si j'avais eu le temps de tout raisonner, je n'aurais sûrement pas osé poser ce geste. Cette grimace, qui se veut être un sourire, est pourtant si loin de la perfection.

Le geste est lancé. Comble de malheurs ou de chances, il ne peut plus être arrêté. Eh bien, soit! J'aurai à assumer la responsabilité de ce geste. Elle m'a vu et m'a souri, du moins, c'est ce que je crois, c'est ce que je suppose, c'est ce que j'espère.

Et si elle avait souri à quelqu'un d'autre derrière moi? Après tout, elle connaît tout le monde dans ce patelin. Je n'ose me retourner pour vérifier si une autre personne a répondu à ce sourire. Je me retrouve comme pris dans un bloc de glace. Pourtant, j'ai des sueurs dans le dos. Je ne demande qu'à fondre, qu'à me cacher sous le tapis!

Je me retrouve donc dans cette position inconfortable, le bras droit levé dans les airs, s'agitant, ce sourire malhabile et ces sueurs froides dans le dos. J'aurais eu le goût que ma tête fonctionne pendant ce difficile moment. Pourtant, plus rien n'est opérationnel. C'est le vide complet entre les deux oreilles. Je pourrais presque entendre le bruit de l'air que cette main déplace et qui s'agite encore.

L'instant crucial va bientôt arriver. Elle se dirige vers une destination indéterminée. Je cherche mes portes de sortie, mon échappatoire. Pourtant, je suis encore immobile et figé dans ce mouvement qui s'éternise.

Quelques pas encore et je serai fixé ou déchiqueté par la gêne et la honte. Elle s'approche de ma table et me regarde droit dans les yeux. Elle va engager la conversation je le sens. Ses lèvres sensuelles s'articulent.

- Salut!

- À cette heure-là? J'étais convaincu de ne pas te voir à la soirée.

- J'ai terminé tard, le temps de me laver et je n'avais plus le goût de sortir juste le goût d'aller me reposer faire dodo quoi!

- J'ai de la difficulté à te suivre. Tu as le goût de te coucher, mais tu es là?

- Oui. J'ai un ami, Régis, qui est venu me coiffer. Avec le beau travail qu'il a fait, il m'a donné le goût de sortir et me voilà!

- C'est ce qui s'appelle passer d'un extrême à l'autre!

- C'est moi tout craché!

Je me sens rassuré par autant de franchise. Elle a un regard direct et sincère, tout cela enveloppe un corps qui ne peut passer inaperçu. Serait-ce le coup de foudre? Si c'est cela, je dois me protéger, me surveiller et c'est urgent!

- Tu sais, quand je t'ai parlé de mon cartable de trois pouces d'épaisseur qui définit toute la relation amoureuse, j'étais sérieuse.

- J'espère que tu ne pensais pas que je blaguais sur le mien?

Notre discussion durera plusieurs heures et deux listes de critères seront déposées sur la table. Une négociation où, tel un important contrat commercial, chacun posera ses conditions. Les adversaires sont de taille. Aucun n'est prêt à faire de compromis. Je pose mes limites et tu les prends tels quels. À la première anicroche, on abandonne les négociations. Les deux adversaires ont fortement été échaudés. Ils ne sont plus prêts à justifier un abandon des négociations, ni à laisser un compromis ternir une liberté acquise d'arrache-pied.

Deux antagonistes qui se regardent froidement dans les yeux. Il sont prêts à essayer de trouver un terrain d'entente commun d'intimité avec l'autre, mais pas à n'importe quel prix. Il n'est pas question ici de perdre les acquis pas à n'importe quel rythme non plus! Ce sera lentement, le plus lentement possible, pour se sécuriser, s'apprivoiser, se donner la chance de connaître l'autre avant d'aller trop loin, trop vite en espérant voir les contraintes de l'autre, avant que l'attachement ne fasse son ravage. Deux guerriers meurtris regardent leurs plaies. Pas question de se laisser détruire dans cette relation.

Un consensus semble très évident, la relation doit être énergisante et positive, sinon on préfère rester chacun chez soi. Il vaut mieux être heureux et seul, que malheureux à deux.

Cette rencontre et toute cette conversation nous ont épuisés, Alexandra et moi. Nous avons besoin d'un peu de recul, un peu de répit à la fin de cette première manche. Nous sommes surpris et étonnés de ne pas avoir encore trouvé cette petite faille qui nous permettrait, à l'un ou à l'autre, de fermer les livres et d'abandonner le débat.

Pour diminuer la tension et pour nous permettre de découvrir comment on va continuer, je lui offre d'aller nous chercher quelques consommations.

Je me dirige lentement vers le bar situé au bout de la salle. Un peu distrait, espérant que cet instant de trêve durera une éternité, le temps de récupérer. Je fixe curieusement la sortie de secours, à l'autre bout de la salle. Inconsciemment, je cherche la mienne.

En m'approchant du bar, j'aperçois Tom, bien installé sur son tabouret. Malgré toute la complicité que j'ai développée avec lui, je suis gêné de le croiser. Tout le temps passé avec Alexandra n'est sûrement pas passé inaperçu.

J'ai l'impression qu'un monde de rumeurs court déjà. Toute la salle espionne, tous ces gens font des spéculations à notre sujet. J'ai peur d'être brusqué, qu'on me demande la date du mariage avec Alexandra! Je suis en plein délire paranoïaque.

Je cherche désespérément la sortie de secours. J'entends un cri d'alarme: "Attention, jeu dangereux ça va faire mal". C'est comme si cette femme, Alexandra, était radioactive! Un autre cri d'alarme "Exposition radioactive trop prolongée seuil de non-retour".

Je sais que tout cela peut paraître exagéré. Mais c'est la seule façon que j'ai réussi à trouver pour décrire de mon mieux ce qui se passe en moi. Je me sens comme un enfant dépassé par la situation. Je ne sais plus si je dois fuir le plus rapidement possible pour éviter de souffrir encore plus ou si je dois me réjouir de la chance que j'aie.

Chapitre 37

J'espère me faire servir sans être vu par Tom. En sour-
dine, j'interpelle le barman.

- Un rhum et une coupe de vin blanc, s'il vous plaît?

- Excusez-moi, mais avec cette musique, je ne peux vous
entendre, mon cher monsieur. Veuillez parler plus fort.

- Un rhum et une coupe de vin blanc, s'il vous plaît?

Je le répète suffisamment fort pour qu'il entende, mais le
plus discrètement possible. Je suis encore pris entre deux
extrêmes. Je n'ai même pas terminé ma phrase que je
vois la tête de Tom se retourner vers moi. Je n'ai pas besoin de vous décrire encore une fois ce sourire qui l'illumine.

Tout en ayant un regard gêné et confus, je dois me résigner à lui adresser la parole.

- Salut, Tom!

- Tiens, un revenant.

- Comment ça, un revenant?

- Ça fait un bout de temps que je t'ai perdu de vue, je me demandais si tu étais déjà parti.

- Tom! Tu t'amuses encore à mes dépens.

- Oui, je m'amuse, mais pas sur ton dos.

- Tu essaies de me faire croire que tu ne sais pas où j'étais et ce que je faisais...

- Je n'ai pas à me justifier. Si tu ne peux pas me faire confiance, c'est ton problème. Je suis juste déçu et peiné de ne pas avoir ta confiance; ça crée un froid, une distance entre nous deux.

Cette dernière réplique de Tom me transperce comme un grand vent hivernal, froid et sec. Avec toute cette peur d'être vu dans cette situation où je n'ai pas le contrôle, j'imagine le monde entier, les yeux braqués sur moi, analysant tous mes faits et gestes, prêt à en rire et à me ridiculiser.

À cause de cette gêne, je cherche à me cacher de Tom, je remets même en question son authenticité. Tout cela, parce que je doute de moi et que je n'ose pas l'admettre encore.

Ce froid, cette distance entre Tom et moi, c'est moi qui les crée. Je m'isole plutôt que de me montrer tel que je suis. Le seul résultat que j'obtiens, c'est de me couper possiblement du meilleur allié que je puisse avoir.

Un peu honteux de ce que je viens de faire, je regarde Tom un peu plus directement.

- Je te remercie Tom de me rappeler à l'ordre.

- C'est un plaisir de te retrouver.

- Je suis un peu déboussolé par cette rencontre avec Alexandra.

- J'ai cru le remarquer, effectivement.

- Ce gros cartable sur les limites que doit respecter une femme pour oser m'approcher...

- Ton cartable sur la définition de la femme parfaite.

- Justement, je pense que cette femme est dans la salle ce soir.

- À première vue, ça ne semble pas te réjouir. Si j'avais mis autant de temps à écrire cette théorie visionnaire de la femme idéale, et si j'avais l'impression de faire cette rencontre si spéciale, j'afficherais possiblement un large sourire.

- Je pense que cette grande théorie n'est qu'un bouclier que j'ai créé pour fuir ce genre de rencontre. Cette invention aurait dû éliminer toutes les femmes.

- Et tu n'as pas réussi à éliminer cette Alexandra?

- Pas encore et j'ai passé en revue tout mon cartable avec elle.

- Ça te cause un problème?

- Un sérieux problème. Je n'ai rien écrit sur ce qui se passerait à ce moment-là. Je pensais avoir le temps de compléter éventuellement mes notes. Je pensais vraiment avoir une bonne dizaine d'années de sécurité devant moi avant que ce jour fatidique arrive.

- Est-ce qu'on peut dire que c'est le coup de foudre?

Face à cette remarque, je bondis en arrière, comme un félin prêt à se défendre, toutes griffes sorties et braquant ses crocs meurtriers. Je prends une voix plus rauque et plus directe.

- Impossible, Tom. Dès le départ, c'est évident, il n'y avait pas d'intérêt de part et d'autre.

- Impossible?

- En me voyant, elle m'a dit qu'elle n'était pas intéressée et qu'elle avait une liste de revendications d'un mille de long.

- Et que cette liste servirait à éliminer tous les hommes?

- En la rencontrant, je lui ai répondu qu'il en est de même pour moi et que j'avais moi aussi mon cartable de limites.

- Et que ce fameux cartable servirait à éliminer toutes les femmes.

- Et là, nous nous retrouvons avec une tonne de papier qui n'aura servi à rien.

- Les boucliers tombent. Et que reste-t-il derrière ce Mur de Berlin qui s'écroule?

- Je me retrouve comme un petit chaton qui a peur de se mouiller.

- Tes blessures sont encore profondes.

- J'ai peur de souffrir et de me tromper encore une fois.

- Tu ne sais pas où cela va te mener et ça t'insécurise?

- J'ai l'impression d'être sur une pente glacée, dans un véhicule, les deux pieds sur les freins et malgré tout, je descends la pente quand même.

Un grand silence rompt la conversation. Je n'entends plus, ni la musique, ni Tom. Un grand vide vient m'envelopper. Quelques images commencent à tournoyer dans ma tête, un blizzard, une tempête de neige...

Je perds contact avec ce qui m'entoure. Tout est blanc et glacial. Une tension énorme m'envahi. Je me vois dans ce véhicule, les deux mains crispées sur le volant et les deux pieds qui enfoncent le frein. Rien à faire, malgré toute ma résistance, je glisse encore sur cette pente glacée.

De chaque côté de la route je remarque un ravin, un gouffre immense... un vide sans fond qui ne demande qu'à m'engloutir. Entre le véhicule et le gouffre, il n'existe aucune protection. Seul sur cette route qui ressemble à une patinoire, je glisse malgré tous mes efforts.

D'autres images apparaissent. Tom m'a déjà parlé d'une patinoire. Mais sur la patinoire que Tom m'a décrite, il y avait des bandes tout autour. Ces bandes représentent mes limites, des limites que j'ai à établir et à l'intérieur desquelles je me sens en sécurité pour évoluer.

Je n'ai pas défini mes limites! Je n'ai aucune protection sur cette patinoire. Toute cette pression parce que je ne connais pas mes limites. La responsabilité de les définir est mienne. J'ai négligé ce travail si important.

Je me suis acharné à mettre des écriteaux pour éviter de me retrouver sur cette route. Je me suis défendu d'y retourner. Toute cette énergie investie pour m'empêcher de prendre cette route semble avoir été en vain.

J'ignore par quel hasard, je m'y retrouve tout de même. J'ai tout fait pour ne pas y être. Cette route je la connais comme étant dangereuse et meurtrière. À chaque fois que je l'ai empruntée, le blizzard m'a emporté, j'ai glissé dans le fond de l'abîme...

Les blessures que je me suis infligées sont énormes et les cicatrices demeurent. Elles ont changé mon visage... je ne serai plus jamais le même. Mon corps est une immense meurtrissure.

J'ai tellement investi d'énergie pour éviter ce retour. J'ai tout fait pour ne pas y être. Malgré tout, je n'avais pas prévu que je pourrais m'y retrouver. Un retour vers l'amour, ce pays inconnu, avec toutes les angoisses que cela comporte, avec tous les accidents de parcours qui ont été, en bout de ligne, le seul itinéraire que j'ai connu.

Je suis incapable de m'arrêter ni de me stabiliser sur cette patinoire. Un retour en arrière semble impossible. Derrière moi, se trouve le haut de cette montagne d'où je m'éloigne.

La seule porte de sortie semble être ce chemin glacé droit devant. Il est sinueux, tortueux et n'annonce pas la couleur du prochain obstacle. Tout est blanc et glacial. Je continue de glisser vers un je ne sais où encore inexpliqué toujours inconnu! J'entends une voix au loin qui m'interpelle:

- Attention! Tu glisses!

Comme si je ne le savais pas que je glisse sur cette pente abrupte! La voix reprend encore une fois, sur un ton plus sec:

- ATTENTION! TU GLIS...SES!

Je sens la main de Tom me saisir pour m'empêcher de glisser en bas du tabouret du bar.

Je me réinstalle sur le tabouret, un peu gêné de l'incident. Tom n'a pas besoin de m'expliquer. Par son regard, je comprends qu'il m'a laissé faire ce cauchemar pendant quelques instants.

- Tu reviens d'un lointain pays?

- Ou peut-être que je ne sais plus comment en revenir?

Désespéré, encore rempli de frayeur, je me retourne vers Tom.

- Qu'est-ce que je fais avec tout cela?

- Avec ton rhum et ta coupe de vin blanc?

- Non, Tom. Tu sais ce que je veux dire.

- Avec le fait que tu te retrouves avec une jolie demoiselle, désarmé, sans ton bouclier?

- C'est ça.

- Vous allez enfin pouvoir commencer à vous parler.

J'ai failli échapper les consommations tant je suis sidéré par la réponse de Tom. Les réponses de Tom sont toujours des plus simples, claires et très précises, tout comme un couteau qui fend l'air avec précision et me pénètre entre les deux omoplates.

Je viens juste de terminer des heures de discussion avec Alexandra. J'ai tenté de trouver, parmi mes règlements, lequel aurait pu l'éliminer. Elle a tenté de faire de même. Le tout s'est soldé par un match nul.

J'ai une certaine difficulté à accepter qu'après des heures de dures négociations, ce cher Tom m'annonce qu'à présent, nous allons commencer à parler! C'est comme si tout ce que nous venions de faire avait été vain.

- Tom, je dois vérifier quelque chose.

- Je t'écoute.

- J'espère que tu ne prétends pas que les heures passées jusqu'à présent ont été inutiles?

- Certainement pas!

- Alors pourquoi dis-tu que maintenant, nous allons pouvoir commencer?

- Les heures que vous venez de passer ensemble seront très importantes pour la suite des événements.

- Quelle en est l'importance, si tu soutiens que nous n'avons pas encore commencé?

- Elles auront servi à vous dégarnir de vos boucliers.

- J'ai passé du temps à construire un bouclier qui n'a sa raison d'être que pour être retiré au bout de quelques heures de dures négociations!

- Aucune vraie relation ne peut avoir lieu entre deux êtres sur la défensive. Vous allez enfin pouvoir commencer à vous parler.

C'est encore une dernière remarque de Tom qui m'ébranle. Je ferme les yeux quelques instants, puis je reprends mon souffle. Un tourbillon semble tout balayer. Une tempête de sable!

Du sable partout. J'ai de la difficulté à regarder en avant. Je tiens quelque chose dans les mains. C'est lourd et froid, une sensation métallique.

Aveuglé par le sable, je suis bousculé. Sous la pression, je resserre l'objet entre mes mains. Vous avez sûrement deviné, je me défends du mieux que je peux avec mon bouclier.

Devant moi se dresse l'adversaire. Le soleil me renvoie un éclair métallique après avoir frappé le bouclier de celui-ci. Encore aveuglé par le sable et cet éclat je ne réussis pas encore à discerner de qui il s'agit.

Le vent s'agite un peu et se faufile derrière l'adversaire. Une épaisse chevelure ondulée, d'un noir incendiaire, s'échappe furtivement de sa cachette. Rapide comme l'éclair, une tête ose se montrer quelques instants avant de se retrancher derrière son bouclier.

D'un regard rapide, elle observe mes faits et gestes, pour mieux s'esquiver si je bouge ou pour préparer une offensive ravageuse!!! Je ne saurais le dire. Mais j'ai reconnu la physionomie de ce visage.

Encore une fois, vous l'avez deviné? Je suis gêné de le dire, mais vous avez raison: nul autre que la belle Alexandra! Derrière ce bouclier adverse, j'aperçois le regard perçant du faucon, la ruse de la louve, la patience de la veuve noire et l'agilité de la tigresse. Ai-je été ébloui par sa longue chevelure ou par son regard perçant?

J'ose avancer légèrement, sournoisement, sur la pointe des pieds. J'espère ne pas me faire voir ne pas me faire entendre. Je veux tenter d'établir un contact. Quelques pieds seulement à parcourir j'y suis presque.

Une réaction endiablée. Son bouclier s'agite et me repousse violemment. Devant la surprise et la confusion, elle s'accroupie, saisit du sable et me l'envoie. Le tempête de sable recommence.

Contre cette tornade, je n'ai d'autre choix que de lever mon bouclier, ma seule protection, et de me barricader derrière la froideur de cette défense.

À son approche, je n'ose faire confiance. Poings serrés derrière mon bouclier, je n'ose me montrer dans mes points sensibles, encore moins dans ma sensibilité. J'ai peur de me faire mal. Je ne veux pas lui donner accès à mon talon d'Achille.

Dans cette arène, le combat dure depuis des heures. Lorsque le soleil aura desséché nos peaux, exténués de soutenir ces boucliers et à bout de souffle, à force de fuir l'intimité de l'autre, en panne d'énergie devant la futilité de nos gestes défensifs et guerriers, les boucliers tomberont dans le sable chaud. Les deux adversaires se regarderont désabusés et craintifs.

J'entends à nouveau les dernières paroles de Tom.

- Aucune vraie relation ne peut avoir lieu entre deux êtres sur la défensive. Vous allez enfin pouvoir commencer à vous parler...

Chapitre 38

Je saisis les consommations et m'apprête à revenir à la table où j'ai laissé Alexandra quelques instants plus tôt. Je ne sais toujours pas à quoi m'attendre. Avec incertitude et méfiance, je reprends cette place qui fût, il n'y a pas si longtemps, le centre d'un débat qui me fait peur.

Je suis sans défense et vulnérable. Je n'ai cependant pas l'intention de m'abandonner sans réserve aux mains de cette belle inconnue. Le bouclier n'aurait alors servi à rien. La fuite aurait été inutile. Je cherche encore un stratagème pour sortir indemne de cette fâcheuse position.

Gêné et intimidé, je ne montre plus la même assurance ni la même arrogance qu'en début de l'engagement. Je ne vois plus d'agressivité dans le regard d'Alexandra. Je me sens même ridicule d'avoir imaginé cette femme en guerrière de l'Antiquité ou en guerrière amazonienne, prête à me dévorer sans merci.

Je me retrouve sur ma chaise, tout simplement, tel que je suis. Je regarde simplement cette femme telle qu'elle est. Cette description de mon état d'âme peut sembler simpliste à première vue, je l'admets.

Je suis en panne d'idées. Je n'ai plus la force de m'inventer un personnage. J'ai l'impression de les avoir tous essayés! Le seul que je n'ai pas encore essayé, c'est d'être moi-même.

Malgré l'apparente simplicité de cette idée, ça ne semble pas facile. Je n'ai pas à justifier ou à imaginer une réponse. Je n'ai pas à me poser de questions inutiles. J'ai peur de tourner en rond, d'être moi-même. Après tout, c'est nouveau d'être moi-même, je ne sais pas encore ce que ça va donner.

Face à "moi-même" se retrouve donc une "elle-même" que je ne connais pas encore, malgré nos longues heures de combat. Un doux sourire illumine la beauté de son visage et calmement, elle brise le mur de silence qui m'isole.

- Je suis contente que tu ne sois pas revenu trop vite avec les consommations.

Elle parle sur un ton plus calme, un ton que je ne lui connaissais pas encore. La tension s'est dissipée. Elle reprend doucement.

- J'ai eu le temps de me questionner pendant ton absence.

Je la vois maintenant autrement, telle qu'elle est. Son regard est différent, il n'est plus inquisiteur. Sa voix coule comme du miel.

- J'ai tenté de t'éliminer plutôt que de t'écouter parler de toi.

Je reste hypnotisé par ses paroles. Je n'ai plus la sensation qu'elle ait le pouvoir de m'agresser ou de me blesser.

J'ai maintenant le goût de me laisser bercer par ses paroles.

- J'ai tenté de trouver une façon de fuir plutôt que de te parler de moi.

Une larme s'échappe de ses yeux, sans leur faire perdre leur éclat; une larme, une seule, mais qui provient de si loin. Je ne peux rester insensible à toute l'intensité de ce qu'elle me dit. Une voix douce et calme, mais qui part du plus profond d'elle-même. Cette voix qui me pénètre et qui descend résonner au plus profond de mes entrailles.

Je sens cette vibration qui nous unit. Une vibration qui a la puissance d'abattre la Muraille de Chine, mais qui se contente de nous garder en contact, doucement, dans le calme.

À l'intérieur de tout ce bien-être, des images commencent doucement à prendre forme.

Un soleil de plomb irradie ma peau desséchée. Ma gorge irritée se resserre, à la recherche d'un peu d'humidité. Je me sens seul, abandonné de tous. Faible et épuisé, je me retrouve allongé au fond d'un canot de sauvetage.

Au loin, disparaissent les derniers vestiges d'un grand paquebot. Avec lui disparaît également cette forteresse que j'ai bâtie à la sueur de mon front: un monstre marin dans lequel je me sens à l'abri de toutes les intempéries.

Ce grand bateau avec lequel j'ai navigué les sept mers de ma vie tourmentée, à bord duquel je me sens plus fort que la tempête. Cet abri n'a servi qu'à me tenir éloigné de la vie.

Ce compagnon d'armes avec lequel j'ai affronté et défié la mer, sombre doucement. J'entends ses pleurs, ses derniers cris de résistance avant de s'engouffrer à jamais. Une lame de fond s'élève subitement vers le ciel et brise les reins de ce grand paquebot. La puissance de cette lame n'a d'égal que l'énergie que j'ai dépensée pour le renflouer.

Seul sur cette mer qui s'étend à l'infini, désabusé, je me laisse bercer à son rythme dans cette embarcation frêle et fragile. Je demeure sensible au moindre soubresaut de cette mer.

Cette mer ne peut faire autrement que de m'accueillir, tel que je suis. Elle me porte dans ses bras. Doucement, je m'étire et m'y ressource. Je m'abreuve à l'essence même de ma nouvelle réalité.

La vie n'est plus un combat acharné du haut de ma cabine de pilotage. Je n'ai plus à affronter cette mer avec la puissance de mes moteurs diesels. Elle me berce et me dirige doucement, dans un total abandon, vers de nouveaux horizons.

Je peux entendre le clapotis de cette eau caressant le contour de ma barque. Une nouvelle relation s'établit. Je peux enfin l'entendre, la voir, la sentir près de moi, telle qu'elle est vraiment, sous son vrai jour.

Je peux maintenant apprécier sa présence tout autour de moi. Cette mer a la force de porter les plus grands bateaux que l'homme puisse construire. Cette mer a aussi la puissance de les faire couler et disparaître à jamais lorsqu'ils deviennent trop prétentieux et arrogants. Cette mer peut être tendre et accueillante ou encore capricieuse à volonté. Elle n'est que le reflet de ce que je suis et de ce que je lui montre de moi.

Désaltéré à la source de la vie, sécurisé en son sein, je me laisse bercer au fond de ma nouvelle embarcation et de ma nouvelle demeure, prêt à faire un nouveau bout de chemin.

Mon regard plonge dans le sien, un regard qui baigne dans cette mer tantôt agitée, tantôt calme. Dans toute ma contemplation, je dépends encore une fois d'elle pour sortir de mon mutisme inné.

- Tu parles beaucoup moins.

- Oui, je me laisse bercer par le flot de tes paroles.

La conversation continue. Une couleur différente s'imprègne de cette nouvelle relation. Nous sommes devenus deux êtres qui ne parlent plus de ce qu'ils ne veulent pas vivre, mais qui commencent à définir ensemble ce qu'ils veulent.

Tranquillement, les limites se définissent. Les bandes de cette patinoire s'installent. Des territoires réservés à chacun de nous se définissent. Ce sont des territoires d'exclusivité où l'autre ne sera pas autorisé à y pénétrer.

La beauté de cette nouvelle relation se découvre petit à petit dans cette partie de la patinoire, commune à nous deux, sur ce terrain d'intimité où nous nous retrouvons ensemble dans une relation véritable.

Nous sommes sécurisés par ces zones d'exclusivité qui nous sont propres. Doucement, nous pourrons nous apprivoiser et nous retrouver à notre rythme dans cet espace commun.

Alexandra ne peut s'empêcher de rire doucement et de passer le commentaire suivant.

- Notre terrain d'intimité est quand même petit.

- Mes expériences passées ont modelé ce que je suis prêt à vivre aujourd'hui. Tout en me sentant en sécurité, je veux respecter mon rythme.

- Tu n'as pas peur qu'on étouffe à la longue?

- Ce que je trouve charmant dans cet exercice, c'est qu'on peut le recommencer à volonté.

- Une relation qui n'est pas prise pour acquise.

- On peut élargir ou rétrécir notre terrain d'intimité, selon les expériences que nous vivrons ensemble.

- Comme la marée, nous pouvons faire vivre la relation, lui donner un sens, une vie.

- Que la marée soit montante ou qu'elle soit descendante, on peut trouver le moyen de se laisser bercer par cette relation.

- Cette mer peut s'agiter et devenir houleuse, certains jours.

- J'aurai le choix de me sentir fragile et vulnérable.

- Ou de te construire un gros paquebot pour te sentir au-dessus de la relation.

Sur cette dernière remarque, la belle Alexandra se met à rire. Un rire d'enfant qui me rappelle celui de Tom. Le rire de cette petite Alexandra aura la capacité de m'émouvoir longtemps.

C'est une drôle de conversation que nous avons eue pour une première rencontre. Nous avons été échaudés dans nos relations antérieures. Nous voulions apprendre à nous découvrir, mais il y a encore toutes ces blessures qui n'ont pas encore eu le temps de guérir.

Combien de temps pourra durer cette relation? Nul ne sait. Il y a cette petite embarcation qui peut choisir de naviguer sur une autre mer. Il y a cette mer qui peut décider de rejeter cette frêle barque sur un rivage inconnu.

Nous sommes les maîtres de notre destinée et du voyage que nous voulons faire.
L'évaluation.

Encore un livre que je croyais terminé. Six mois se sont écoulés et je n'ai même pas osé relire mon manuscrit encore. Je sais qu'il y a tant de choses qu'il me fera vivre et revivre. Comme si la compréhension de ce que j'écris n'était jamais vraiment terminée.

Je me retrouve dans un restaurant. Je me cache de quelqu'un ou de quelque chose. Sur la banquette d'à côté, quelqu'un m'adresse soudainement la parole.

- Salut l'ami. Ne m'aurais-tu pas oublié quelque part?

- Salut, Tom. Je suis surpris de te voir.

- Je me demande encore comment j'ai fait pour réussir à revenir.

- Explique un peu, si tu veux bien.

- Dans ce livre-ci que tu n'oses pas encore lire, tu m'as laissé au bar dans la salle de réception du mariage.

- Je ne me souvenais pas.

- Dans la deuxième section du livre, tu me laisse dans une discothèque avec Éric.

- Je pense que je me souviens de ce passage.

- Si je te laisse faire, les gens vont finir par penser que je suis un peu alcoolo.

- Est-ce que le jugement des autres commence à t'atteindre Tom?

- Non, là n'est pas la question. Ce que je désire vérifier, c'est la subtilité et la vitesse avec lesquelles tu t'amuses à conclure tes manuscrits.

- J'ai fait la même chose pour la première section. Je t'ai fait partir rapidement pour refermer le manuscrit le plus vite possible.

- Après la première partie, tu te sentais guéri de tes patterns.

- J'ai cependant senti le besoin d'écrire une suite à la première section...

- Et à cette suite, tu écris une autre suite.

- Ça commence à faire beaucoup de suites, n'est-ce pas?

- Tu as peut-être "trop de suites" dans les idées. La question que je me pose, c'est pourquoi cet empressement à refermer le manuscrit, sans oser le regarder, le feuilleter et peut-être le lire?

- C'est comme si ça devenait un dossier dangereux. Si je le garde encore un peu, je risque de tout réécrire et recommencer.

- Qu'arriverait-il si tu ne t'empressais pas de conclure?

- Peut-être que je rajouterais un chapitre ou deux de plus.

- Je suis porté à croire que ces quelques chapitres doivent être du vrai T.N.T. pour toi, si tu n'oses les écrire.

- En n'osant pas écrire ces chapitres, c'est peut-être une façon pour moi de tourner en rond pour ne pas aller au fond de ce que j'ai à écrire.

- As-tu le goût de plonger un peu plus?

- Je ne sais pas nager!

- J'ai confiance en toi. Allez hop! On fait le grand saut.

- Mais il faudrait que je réécrive la fin du manuscrit pour me permettre de conclure différemment.

- Est-ce que tu cherches encore à te faufiler et à remettre à plus tard la chance que je t'offre de vivre tes émotions?

- Peut-être que j'essaie encore d'être parfait avant de com- mencer à les vivre?

- On repart d'ici même.

- À partir de cette évaluation?

- Et pourquoi pas?

- Ce n'est pas vraiment conventionnel.

- Conventionnel pour toi ou pour les autres?

- Bon d'accord, on y va.

- À la fin du dernier chapitre, peux-tu me dire ce que tu essayais de camoufler, que tu n'osais dire?

- As-tu l'impression que je faisais des cachettes?

- Prends le temps de t'arrêter et de regarder, nous verrons bien.

Un grand silence m'envahi. Mon estomac se noue. Je rougis et pâlis, en alternance, le tout accompagné d'une hyperventilation. Ma gorge se contracte et se resserre.

- J'ai l'impression que tu commences à toucher à quelque chose.

- Tom! J'étouffe. J'ai de la misère à parler.

- C'est pour cela que tu es un écrivain. Dans cet état, tu aurais sûrement fait un très mauvais chanteur.

- Bon d'accord, j'ai compris. Est-ce qu'on peut conclure maintenant?

- Maintenant que tu réalises que tu n'as pas tout dit, tu n'as pas l'intention de refermer ton manuscrit ici, n'est-ce pas?

- Je pense que la fin est bonne, on peut en rester là, tu sais.

- Tu amènes le lecteur dans ton cheminement et tu lui parles d'une communication honnête et authentique dans la relation amoureuse. Tu viens de réaliser que tu te caches des choses et tu veux encore conclure et éviter d'affronter tes peurs et tes souffrances. Est-ce que tu es encore en train d'étouffer ce que tu vis?

Pendant quelques instants, Tom reste silencieux. Il se contente de me regarder passer du rouge au blanc, redevenir rouge jusqu'au violet. Les sueurs froides s'évaporent au fur et à mesure sur un front bouillant.

- Bon d'accord, je vais tout dire.

- Comme tu veux, c'est ton choix, je ne t'y force pas.

- Je sais, mais c'est difficile de vivre comme ça.

- Effectivement, à te regarder t'étouffer, ça semble difficile à vivre.

- Mais je ne sais pas comment le dire, ça bloque.

- Commence par respirer par le nez et par reprendre tes vraies couleurs.

Pendant de longs instants, Tom me regarde. C'est plus facile de ne rien faire, de figer sur place, plutôt que de faire le grand saut. Pour me dépanner un peu, Tom brise ce silence qui m'habite.

- Pour t'aider, tu peux commencer à lâcher des petits morceaux, ceux qui font le moins mal, tranquillement les autres vont peut-être suivre?

- C'est ça qui m'inquiète, si je commence, ça va peut-être sortir.

- Garde-toi la possibilité d'arrêter en cours de route si tu en sens le besoin.

- La première chose que j'ai camouflée... c'est que... avec Alexandra... ça n'a pas fonctionné...

Les derniers mots sont quasi imperceptibles, discrets. Je veux soulager ma conscience en le disant, mais, en même temps, j'espère que Tom ne m'a pas entendu.

- C'est difficile à dire qu'il y a eu rupture?

- Avec toute l'intensité et l'authenticité du début, c'est difficile d'avouer que je suis encore tombé dans mes patterns relationnels.

- Quand tu me parles d'avouer, j'ai l'impression d'entendre parler un criminel de guerre.

- J'ai l'impression d'avoir trahi les lecteurs en les amenant dans une relation qui n'a pas été parfaite et exemplaire.

- Comme s'il fallait qu'on ne parle que de choses parfaites!

- Là, tu marques un point, j'ai beaucoup plus de choses à dire sur mes imperfections. À vrai dire, si je ne parlais pas de mes imperfections, je n'aurais plus rien à dire.

- Et comme tu aimes parler, on peut donc continuer avec tes imperfections, c'est plus plaisant comme ça.

Dans la première partie du livre, j'ai défini la relation amoureuse que je voulais vivre. Dans la deuxième, différentes erreurs que j'ai faites dans mes expériences. Dans la dernière section, j'espérais faire la démonstration que cette relation tant recherchée existait et démontrer comment c'est possible. C'est difficile de justifier les erreurs de parcours.

- Tu sens le besoin de te justifier?

- Non pas vraiment. La réalité est ce qu'elle est. Je n'ai pas à me justifier, ce qui est important c'est de me sentir bien face à cette réalité.

- As-tu le goût de parler de cette réalité?

- Je me suis mis les deux pieds dans d'autres pièges relationnels avec Alexandra. Je ne me savais pas si sensible et vulnérable. J'ai l'impression qu'à chaque fois que j'apprends à mieux vivre mes relations, je découvre de nouvelles difficultés à affronter. Combien de pièges peut-il y avoir?

- Autant que tu veux.

- C'est vrai qu'on est jamais parvenus à l'idéal de perfection tant recherchée.

- L'objectif n'est pas d'arriver, mais d'être conscient de l'endroit où l'on est, d'être conscient dans quel plat on se met les pieds, d'être assez vigilant pour se voir entrer dans un piège et d'accepter humblement de s'en sortir.

- Rien n'est jamais pris pour acquis.

Un temps d'arrêt s'installe. C'est peut-être un temps de méditation. Une façon de refaire mes forces pour compléter cette évaluation. Comme si la prochaine étape laissait présager la venue d'un morceau plus gros et plus difficile à passer!

Le sourire calme de Tom me rassure et me réconforte. Seul, je n'aurais sûrement pas eu le courage de me rendre si loin. J'apprécie qu'il m'accompagne ainsi tout en respectant mon rythme. Les remarques de Tom me brusquent et m'ébranlent. Mais c'est grâce à elles que je peux me remettre en question.

- Comment te sens-tu maintenant?

- Comme quelqu'un qui va faire un pas de plus vers la prise de conscience de cette autre série de pièges. C'est-à-dire comme un funambule qui, pour la première fois, travaillera sans filet.

- Je suis prêt à t'accompagner.

- Je réalise que j'ai manqué de vigilance dans l'expression de mes frustrations pendant cette relation. Ces petites frustrations ont grandi en moi et sont devenues encombrantes. J'ai porté ce fardeau comme si je tentais de contenir une colère immense. J'avais beau regarder, je ne trouvais aucune justification à cette colère et à cette irritation. Je ne me permettais pas de l'exprimer.

- Ces petites frustrations ont irrité ton intérieur et ont causé beaucoup de dommages.

- Je n'aurais jamais pu m'imaginer que de si petits détails négligés pouvaient causer un si grand tort pendant la relation et même après la rupture.

- Pourtant, tu avais déjà pris conscience de ta sensibilité vis-à-vis ce malaise.

- Oui. J'avais pris l'habitude d'exprimer au fur et à mesure ces petites frustrations pour éviter les dommages relationnels.

- Qu'est-ce qui n'a pas fonctionné?

- Je me suis retrouvé dans un contexte où je n'ai pu les exprimer au moment où elles naissaient. J'ai pris pour acquis que je pouvais en faire le deuil. J'aurais dû créer une occasion pour les exprimer ou de faire une demande formelle à Alexandra.

- Question de prendre ta place.

- De prendre ma place et de la faire respecter. C'est seule-ment de cette façon que je peux vraiment me respecter.

- Comment te sens-tu face à cette nouvelle fin pour ce livre?

- J'aurais aimé le finir comme un conte de fée: "Tout est bien qui finit bien dans le meilleur des mondes" ou encore: "Ils se marièrent, eurent beaucoup d'enfants et vécurent heureux jusqu'à la fin des temps". Mais si je veux être hon-nête, même si dans un roman, je peux me permettre de romancer pour camoufler ma réalité, je préfère me pré-senter tel que je suis, avec toutes mes imperfections et mes faiblesses.

- Ce que je remarque, c'est que pour finir ton livre à l'eau de roses, tu aies dû me tasser et m'expédier aux oubliet-tes. En te montrant tel que tu es, avec tes imperfections et tes faiblesses, tu as choisi de rester en contact avec moi, pour que je demeure à tes côtés pour terminer ton livre.

- En ce qui concerne mon évaluation, est-ce que tu me donnes mes résultats?

- Combien penses-tu avoir?

- À peu près 10%.

- Tu te dévalues facilement.

- Combien me donnes-tu?

- 20%.

- Et comment as-tu calculé cette note?

- C'est la théorie du 80-20.

- Et c'est quoi cette nouvelle théorie?

- 20% des événements t'apportent 80% des souffrances et des échecs que tu traverses.

- Et qu'advient-il des autres 80%?

- 80% des événements pourraient t'apporter de la joie et de la satisfaction.

- Et pourquoi ne le font-ils pas?

- C'est que tu es trop occupé à regarder le 20% de ta souffrance que tu n'as pas le temps d'apprécier le 80% de bonheur dans ta vie. Pour l'instant tu en es qu'à 20%. Un jour, tu accepteras peut-être d'avancer dans la vie pour le plaisir de le faire, sans avoir à toujours souffrir pour avancer.

- Et comment fait-on pour atteindre 100% de bonheur.

- Tu devrais lire des contes de fées.

- Pourquoi?

- C'est le seul endroit où tu pourras trouver ton 100%.

- Ayant coulé l'évaluation, je ne pourrai pas suivre l'entraînement plus loin. J'en ai pour combien de temps avant d'être prêt?

- Environ une cinquantaine d'années.

- Tu n'es pas sérieux!

- Oh! Que si, l'ami.

- Pour l'instant, contente-toi d'être un aidant naturel, un grand frère pour les autres, mais ne pense pas que tu es arrivé au bout de tes peines. Tu as à continuer à t'améliorer autant que les gens que tu rencontres. Tu n'es pas mieux que les autres.

- Je demeure quand même déçu.

- Et pourquoi?

- J'aurais aimé finir le livre en beauté et transmettre quelques règles de base pour que tous puissent être heureux et atteindre leur bonheur. J'aurais aimé que les gens n'aient pas à passer par les souffrances que j'ai rencontrées.

- Un bonheur parfait qui n'existe pas. J'aime mieux te voir finir avec réalisme que de tenter de te faire accroire que la perfection existe. C'est pour cela que je te donne 20% dans ton évaluation, pas pour que tu racontes des menteries à tour de bras.

- Je te remercie Tom pour ta présence et pour le bout de chemin que tu as parcouru avec moi.

- Ne t'en fais pas, ce n'est pas terminé, j'en suis sûr.

- Il me reste encore des expériences à faire où tu pourras t'amuser à mes dépends.

- J'en suis convaincu. Avant que nous quittions ensemble, j'aimerais te laisser cette phrase en souvenir de cette journée d'évaluation:

"Et si ta force était ta capacité de te présenter tel que tu es, avec tes forces et tes faiblesses?"

Le Saguenay

À cinq ans, j'ai tout donné, j'ai tout abandonné. J'ai fugué vers une terre promise. De Montréal, à pied, j'ai voulu rejoindre le Saguenay.

Je n'ai pas fait long feu avant d'être rejoint et ramené vers une autre réalité.

Quinze ans plus tard, du haut de mon avion, j'ai survolé ce paradis. Me contentant d'y faire le plein d'essence, je n'ai osé m'arrêter. J'ai préféré la sécurité de mes nuages. Peur de m'attacher, peur d'y perdre ma liberté de vol, mon coeur ressentait malgré tout, l'appel de cette terre promise.

Un autre quinze ans plus tard, Jean-Louis et Johanne m'ont reconduit, à bord de leur véhicule, dans cette belle région du Québec. Parti 30 ans plutôt à pied pour le Saguenay, j'arrivais enfin à mettre pied sur cette terre promise.

Seul, encore à pied, j'ai visité et caressé les contours sinueux de cette rivière. J'ai prolongé ma période de visite, j'ai voulu apprivoiser cette rivière et garder contact. Mais je n'ai pas fait long feu, avant d'être ramené vers une autre réalité.

L'autobus m'a ramené vers Montréal. Aujourd'hui, quand je lève le regard au-delà de ce parc qui s'étend à l'infini, je ferme les yeux et je me remémore ces doux instants où j'ai eu le bonheur d'atteindre cette terre promise.

J'ai le sentiment d'avoir laissé une partie de mon coeur, là-bas, au-delà de ce parc. Peut-être dans une autre quinzaine d'années, j'y retournerai...

En attendant ce jour, je ne pourrai jamais oublier la douceur de cette région. Une partie de mon écriture lui est fortement redevable.

Longue vie au Saguenay!

Amitié

Raymond

DU MÊME AUTEUR

APRÈS LA PLUIE... LE BEAU TEMPS. 9,95 $

Un recueil de textes à méditer. On l'ouvre au hasard d'une lecture. Je voudrais vous offrir ces textes, en espérant que vous ne les lirez pas. Prenez le temps de vous les laisser se raconter, par cette voix intérieure que trop souvent on enterre dans le tumulte de nos activités quotidiennes.

LE JOURNAL DE LA RUE.

Un magazine d'information et de sensibilisation sur les différents phénomènes sociaux. Vous pouvez le recevoir par la poste au coût de 24$ pour 6 numéros par année. Votre abonnement permet de supporter un organisme communautaire dans son implication auprès des jeunes.

N'hésitez pas à nous faire parvenir vos commentaires:

Éditions T.N.T.
C.P. 71, Succursale Pointe-Aux-Trembles
Montréal, Québec
H1B 5K1

J'ai voulu vous laisser, chers lecteurs, un petit cadeau à la fin de ce livre. Vous y trouverez une section de seize pages couleurs représentant quelques-unes des toiles d'un artiste que j'apprécie grandement, Victor Panin.

Victor Panin

Artiste-peintre

Victor est arrivé du Kaszakhstan en 1996. Le ministère de l'Immigration l'a référé au Café-Graffiti pour l'aider à apprendre le français et la culture québécoise. Le Café-Graffiti est un lieu d'appartenance, un milieu de vie pour les jeunes marginaux qui veulent s'exprimer à travers leur art et leur culture, notamment le Hip Hop.

Victor a fait des études aux beaux-arts et possède un cheminement artistique très poussé. Il a dû quitter son pays, à la recherche d'une nouvelle identité pour lui et sa famille. Le voir arriver dans un milieu de vie comme le nôtre aura été un choc des cultures qui s'est avéré positif pour tout le monde.

Victor a su, à travers sa présence, son implication et son art, prendre contact avec les jeunes, leur transmettre une partie de son art et de sa passion. Il aura su, par la même occasion, être à l'écoute des différences des jeunes et les laisser influencer sa peinture.

Un artiste est le témoin de son époque. Victor est le témoin du Café-Graffiti et de l'intensité des jeunes qui l'habitent. Être un artiste demande une ouverture d'esprit sur ce qui nous entoure. Victor possède cette ouverture d'esprit et une humilité qui méritent d'être soulignées.

J'ai eu le privilège de faire réaliser la couverture de ce livre par Victor. J'ai voulu, en toute simplicité, vous offrir cette opportunité de découvrir son art et de mieux connaître cette personne que je respecte et qui a su être respectée par les jeunes du Café-Graffiti.

De la part de tous, merci Victor pour ton exemple, ta présence et ta continuité.

Transcontinental
IMPRESSION
IMPRIMERIE GAGNÉ

IMPRIMÉ AU CANADA

L'Artiste

Médium: acrylique
Grandeur: 20" X 24"
Année: 1998

Place Hydro-Québec

Médium: acrylique
Grandeur: 12" X 24"
Année: septembre 1998

Le Biodome

Médium: acrylique
Grandeur: 16" X 24"
Année: 2000

La Caserne

(Notre-Dame coin Letourneux)

Médium: acrylique
Grandeur: 24" X 36"
Année: 2000

L'Été

Médium: acrylique
Grandeur: 24" X 36"
Année: 1999

Café-Graffiti

Médium: acrylique
Grandeur: 18" X 24"
Année: 1998

En face du Café-Graffiti

Médium: acrylique
Grandeur: 24" X 30"
Année: 1999

Le Château Dufresne

(Sherbrooke coin P ie IX)

Médium: acrylique
Grandeur: 24" X 36"
Année: 2000

Nuit d'Halloween

Médium: acrylique
Grandeur: 18" X 24"
Année: 1998

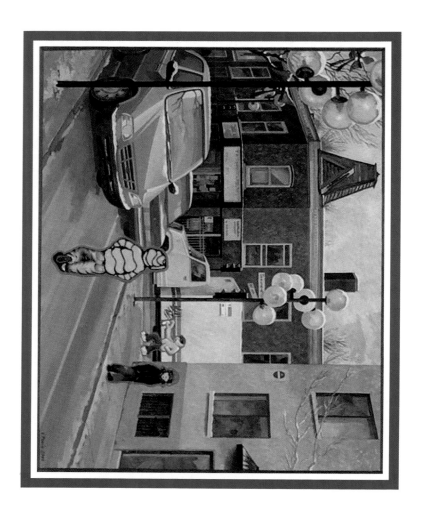

Graffstreet

(Létourneux coin Ste-Catherine)

Auteur: Victor Panin
        Francis Ennis
Médium: acrylique
Grandeur: 22" X 28"
Année: 2000

Marché Maisonneuve
(Ontario coin De Morgan)

Médium: acrylique
Grandeur: 24" X 36"
Année: 2000

Rue Letourneux

Médium: acrylique
Grandeur: 22" X 28"
Année: 2000

Devant le Café-Graffiti

Médium: acrylique
Grandeur: 24" X 30"
Année: 1999

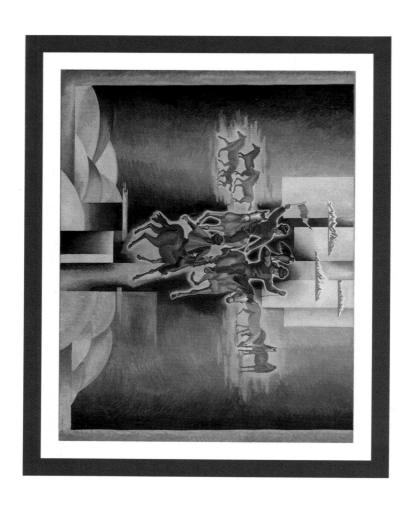

Les Cavaliers

Médium: acrylique
Grandeur: 22" X 28"
Année: 1998